Holt Pre-Álgebra

Guía interactiva de estudio
(con respuestas)

HOLT, RINEHART AND WINSTON

A Harcourt Education Company

Orlando • **Austin** • New York • San Diego • Toronto • London

Printed in the United States of America

ISBN 0-03-069811-1

5   082   06 05 04

CONTENIDO

Holt Pre-Álgebra

CONTENIDO, *CONTINUACIÓN*

iv

Holt Pre-Álgebra

CONTENIDO, *CONTINUACIÓN*

Holt Pre-Álgebra

Guía interactiva de estudio

LECCIÓN 1-1 *Expresiones y variables*

Una **variable** representa un valor que puede cambiar. El valor de una variable se puede **sustituir** en una **expresión algebraica** para **evaluar** la expresión.

Vocabulario
expresión algebraica
evaluar
sustituir
variable

Cómo evaluar expresiones algebraicas con una variable

Evalúa la expresión con el valor dado para la variable.
$b + 9$ para $b = 5$

____ + 9   ¿Con qué valor debes sustituir b?

____   Suma.

Cómo evaluar expresiones algebraicas con dos variables

Evalúa cada expresión con los valores dados para las variables.

A. $a + 4b$ para $a = 10$ y $b = 2.5$

____ + 4_____   ¿Con qué valores debes sustituir a y b?

____ + ____   ¿Qué operación haces primero? _____

____   Suma.

B. $3.5m - 2n$ para $m = 8$ y $n = 5$

3.5____ − 2____   ¿Con qué valores debes sustituir m y n?

____ − ____   Encuentra cada producto.

____   Resta.

Aplicación a la geometría

Si m es el número de lados de un polígono regular, entonces $180(m - 2)$ puede usarse para encontrar la suma de los ángulos. Encuentra la suma de las medidas de los ángulos de un octágono.

$180(m - 2)$ ¿Cuántos lados tiene un octágono? ____

$180($____ $- 2)$ Sustituye m con este valor.

$180($____$)$ ¿Qué harás a continuación? _____

_____   ¿Cuál es el producto?

La suma de las medidas de los ángulos de un octágono es _____.

Holt Pre-Álgebra

Nombre_____ Fecha_____ Clase _____

Los problemas expresados con palabras se pueden escribir como
expresiones algebraicas.

Cómo convertir problemas verbales en expresiones algebraicas

Escribe una expresión algebraica para cada problema escrito con palabras.

A. El producto de 12 y un número x

¿Qué operación indica la palabra "producto"?

_____

¿Cuáles son los dos números que usarás? _____

Escribe una expresión matemática. _____

B. 10 más que un número z

¿Qué operación representa la frase "más que"? _____

¿Cuáles dos números debes usar? _____

Escribe una expresión matemática. _____

Cómo interpretar qué operación se usa en problemas expresados con palabras

A. James compra fruta en el mercado. Cada kiwi cuesta 22 centavos. El
total que paga James por k kiwis es el producto de k y 22 centavos.
Escribe una expresión para determinar cuánto paga James.

¿Qué operación se necesita? _____

Escribe una expresión. _____

B. Si James compra 6 kiwis, ¿cuál es el costo total?

Evalúa la expresión del ejercicio A para $k =$ _____.

22_____ = _____

James gastará _____ centavos o $_____ en los kiwis.

Cómo escribir y evaluar expresiones para resolver problemas expresados con palabras

Hay 64 rebanadas de pizza que van a ser compartidas en partes iguales entre p
personas. Si hay 16 personas, ¿cuántas rebanadas recibe cada persona?

¿Qué operación se necesita? _____

Escribe la expresión con p. _____

Evalúa la expresión: $64 \div$ _____ = _____

Cada persona recibe _____ rebanadas de pizza.

Holt Pre-Álgebra

Guía interactiva de estudio

LECCIÓN 1-3 *Cómo resolver ecuaciones con sumas y restas*

Una **ecuación** es un enunciado matemático que muestra la igualdad entre dos expresiones. La suma y la resta son **operaciones inversas** que se usan para **resolver** ecuaciones.

Vocabulario
ecuación
operación inversa
resolver

Cómo determinar si un número es la solución de una ecuación

Determina qué valor de *n* es la solución de la ecuación.

$14 + n = 25$; $n = 5$ u 11

Sustituye cada valor de *n* en la ecuación.

$14 + n = 25$

$14 +$ ____ $= 25$ Sustituye el primer valor de *n*, $n = 5$.

____ $= 25$ ¿Cuál es la suma?

¿Es correcta la ecuación resultante? _____

¿Es $n = 5$ la solución de la ecuación? _____

$14 + n = 25$

$14 +$ ____ $= 25$ Sustituye el segundo valor de *n*, $n = 11$.

____ $= 25$ ¿Cuál es la suma?

Es $n = 11$ la solución de la ecuación? _____

Cómo resolver ecuaciones con las propiedades de la suma y la resta

Resuelve.

$y - 10 = 15$

____ + ____   ¿Qué número debes sumar en ambos lados?

$y + 0 =$ ____   Suma.

$y =$ ____   ¿Qué propiedad indica que $y + 0 = y$?

_____

Comprueba: $y - 10 = 15$

____ $- 10 \overset{?}{=} 15$ ¿Qué valor sustituyes en la ecuación para comprobar la solución?

____ $\overset{?}{=} 15$ ¿Es correcta la solución? _____

Holt Pre-Álgebra

Guía interactiva de estudio
LECCIÓN 1-4 *Cómo resolver ecuaciones con multiplicaciones y divisiones*

Las ecuaciones que tienen una multiplicación o división se pueden
resolver mediante operaciones inversas.

Cómo resolver ecuaciones con divisiones

Resuelve. $8n = 64$

$8n = 64$

$\dfrac{8n}{\rule{1cm}{0.4pt}} = \dfrac{64}{\rule{1cm}{0.4pt}}$ ¿Entre qué número debes dividir ambos lados?

$1n \overset{?}{=} \rule{1cm}{0.4pt}$ ¿Cuál es el cociente?

$n \overset{?}{=} \rule{1cm}{0.4pt}$ Recuerda: $1 \cdot n = \rule{1.5cm}{0.4pt}$

Comprueba: $8n = 64$

$8 \cdot \rule{1cm}{0.4pt} = 64$ ¿Qué valor debes sustituir en la ecuación para comprobar la solución?

$\rule{1.5cm}{0.4pt} \overset{?}{=} 64$ ¿Cuál es el producto?

     ¿Es $n = 8$ la solución de la ecuación? _____

Cómo resolver ecuaciones con multiplicaciones

Resuelve. $\dfrac{m}{6} = 9$

$\dfrac{m}{6} = 9$

$\rule{1cm}{0.4pt} \cdot \dfrac{m}{6} = 9 \cdot \rule{1cm}{0.4pt}$ ¿Qué es lo opuesto de dividir entre 6?

     _____

$m = \rule{1cm}{0.4pt}$ Multiplica.

Comprueba: $\dfrac{m}{6} = 9$

$\dfrac{\rule{1cm}{0.4pt}}{6} \overset{?}{=} 9$ ¿Qué valor debes sustituir en la ecuación para comprobar la solución?

$\rule{1.5cm}{0.4pt} \overset{?}{=} 9$ ¿Cuál es el cociente?

     ¿Es $m = 54$ la solución de la ecuación? _____

Holt Pre-Álgebra

Nombre _____ Fecha _____ Clase _____

Guía interactiva de estudio
Cómo resolver desigualdades simples

Una **desigualdad** es un enunciado matemático que usa los símbolos $<$, $>$, $\leq$ ó $\geq$. La **solución de una desigualdad** es un **conjunto de soluciones** que se pueden representar en una recta numérica.

Vocabulario
desigualdad
solución de una desigualdad
conjunto de soluciones

Cómo completar una desigualdad
Usa $<$ ó $>$ para completar la desigualdad.

$15 + 6$ ☐?☐ 25

_____ ☐?☐ 25 ¿Cuál es la suma de 15 y 6?

_____ ☐ 25 Pon el signo correcto en la desigualdad.

Cómo resolver y representar gráficamente las desigualdades
Resuelve y representa gráficamente cada desigualdad.

A. $m - 12 > 8$
$m - 12 > 8$

$+\underline{\ \ }\ +\underline{\ \ }$ ¿Qué número debes sumar en ambos lados?

$m > \underline{\ \ \ }$ ¿Cuál es la suma?

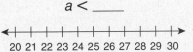
15 16 17 18 19 20 21 22 23 24 25

¿Debe mostrar la gráfica un círculo abierto o cerrado? _____

¿Debe apuntar la flecha a la izquierda o a la derecha?

_____

B. $\dfrac{a}{4} < 7$

$\underline{\ \ \ } \cdot \dfrac{a}{4} < 7 \cdot \underline{\ \ \ }$ ¿Por qué número debes multiplicar ambos lados?

$a < \underline{\ \ \ }$ ¿Cuál es el producto?

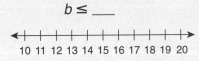
20 21 22 23 24 25 26 27 28 29 30

¿Debe mostrar la gráfica un círculo abierto o cerrado? _____

¿Debe apuntar la flecha a la izquierda o a la derecha?

_____

C. $b + 18 \leq 32$

$b + 18 \leq 32$

$-\underline{\ \ }\ -\underline{\ \ }$ ¿Qué número debes restar en ambos lados?

$b \leq \underline{\ \ }$ Resta.

10 11 12 13 14 15 16 17 18 19 20

¿Debe mostrar la gráfica un círculo abierto o cerrado? _____

¿Debe apuntar la flecha a la izquierda o a la derecha?

_____

Holt Pre-Álgebra

Nombre _____ Fecha _____ Clase _____

Guía interactiva de estudio
Cómo combinar términos semejantes

Si los términos tienen la misma variable, elevada a la misma potencia, son **términos semejantes.** Al combinar los términos semejantes se **simplifica** una expresión.

Vocabulario
término
semejante
simplificar

Cómo combinar términos semejantes para simplificar

Combina los términos semejantes. $9n + 8 - 5n + 10$

$9n + 8 - 5n + 10$	Identifica los términos semejantes. _____
$9n -$ ___ $+ 8 +$ ___	Combina los coeficientes de los términos semejantes.
___$n +$ ___	¿Cuál es el coeficiente de n? ¿Cuál es la constante?

Cómo combinar términos semejantes en expresiones de dos variables

Combina los términos semejantes.

A. $3x + 10x + 2y + 5y$

$3x + 10x + 2y + 5y$	Identifica los términos semejantes. Encierra en un círculo los términos que tengan la variable x. Encierra en un cuadrado los términos que tengan la variable y.
___$x +$ ___y	Combina los coeficientes de los términos semejantes.

B. $7m + 3n - m + 8n - 6$

$7m + 3n - m + 8n - 6$	Identifica los términos semejantes. Encierra en un círculo los términos que tengan la variable m. Encierra en un cuadrado los términos que tengan la variable n.
$7m -$ ___$m + 3n + 8n - 6$	Escribe la expresión con los términos semejantes juntos. ¿Cuál es el coeficiente del término m?
___$m +$ ___$n - 6$	Combina los coeficientes de los términos semejantes.

C. $8a - 5b + 18$

$8a - 5b + 18$	Identifica los términos semejantes. Encierra en un círculo los términos que tengan la variable a. Encierra en un cuadrado los términos que tengan la variable b.
	¿Puedes simplificar esta expresión? _____

Cómo simplificar expresiones algebraicas combinando términos semejantes

Simplifica. $3(6x + 5) - 4x + 12$

$3(6x + 5) - 4x + 12$	Usa la propiedad _____ para quitar
3 _____ $+ 3$ _____ $- 4x + 12$	los paréntesis.
___ $+$ ___ $- 4x + 12$	Multiplica.
___ $- 4x +$ ___ $+ 12$	Escribe la expresión con los términos semejantes juntos.
___$x +$ ___	Simplifica. ¿Cuál es el coeficiente de x? ¿Cuál es la constante?

Holt Pre-Álgebra

Guía interactiva de estudio

LECCIÓN 1-7 *Pares ordenados*

Un **par ordenado** es una manera de expresar la solución de una ecuación.

Vocabulario
par ordenado

Cómo decidir si un par ordenado es la solución de una ecuación

Determina si el par ordenado es la solución de $y = 6x - 4$.

(3, 14)

$y = 6x - 4$ ¿Con qué número sustituyes x?

$\underline{\quad} \overset{?}{=} 6(\underline{\quad}) - 4$ ¿Con qué número sustituyes y?

$\underline{\quad} \overset{?}{=} \underline{\quad}$ Evalúa el lado derecho de la ecuación.

¿Es (3, 14) la solución de la ecuación? Explica tu respuesta _____

Cómo hacer una tabla de soluciones con pares ordenados

Usa los valores dados para crear una tabla de soluciones. $y = 2x + 2$ para $x = 0, 1, 2, 3$

Sustituye cada valor de x en la ecuación. Completa los espacios en blanco de la tabla.

x	$2x + 2$	y	(x, y)
0	2(0) + 2	2	(0, 2)
1	2(_) + 2	_	(1, _)
2	2(_) + 2	_	(_, _)
3	2(_) + 2	_	(_, _)

Aplicación

Al rentar una bicicleta en City Park, Joe debe dejar un depósito y pagar un costo por hora. Si el costo por hora es $5 y el depósito $15, el costo c de renta de una bicicleta por h horas se determina con la ecuación: $c = 5h + 15$.

A. ¿Cuánto pagará Joe si renta la bicicleta por 4 horas?

$c = 5h + 15$

$c = 5(\underline{\quad}) + 15$ ¿Con qué número debes sustituir h?

$c = \underline{\quad}$ Evalúa.

Joe pagará $____ por rentar una bicicleta por 4 horas.

La solución se puede escribir como (4, ____).

B. ¿Cuánto pagará Joe si renta la bicicleta por 6 horas?

$c = 5h + 15$

$c = 5(\underline{\quad}) + 15$ ¿Con qué número debes sustituir h?

$c = \underline{\quad}$ Evalúa.

Joe pagará $____ por rentar una bicicleta por 6 horas.

La solución se puede escribir como _____.

Holt Pre-Álgebra

Guía interactiva de estudio

LECCIÓN 1-8 *Cómo hacer gráficas en un plano cartesiano*

Un **plano cartesiano** tiene una recta numérica horizontal llamada **eje de las *x*** y una recta numérica vertical llamada **eje de las *y*.** El punto en el que se intersectan ambas rectas es el **origen.** La **coordenada *x*** indica el movimiento a la izquierda o a la derecha. La **coordenada *y*** indica el movimiento hacia arriba o hacia abajo.

Vocabulario
plano cartesiano
origen
eje de las *x*
coordenada *x*
eje de las *y*
coordenada *y*

Cómo encontrar las coordenadas de los puntos en un plano
Escribe las coordenadas de cada punto.

A. Punto *E*

¿Está el punto *E* a la izquierda o a la derecha del origen?

_____

¿Cuántas unidades? ____

¿Es la coordenada *x* positiva o negativa? _____

¿Está el punto *E* arriba o abajo del origen? _____

¿Cuántas unidades? ____

¿Es la coordenada *y* positiva o negativa? _____

¿Cuáles son las coordenadas del punto *E*? _____

B. Punto *F* Este punto está a la _____ del origen ___ unidades. El signo es _____.

¿A cuántas unidades debajo del origen se encuentra el punto *F*? _____

¿Cuáles son las coordenadas del punto *F*? _____

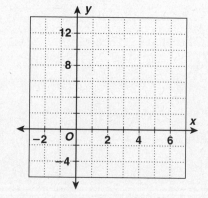

Cómo hacer la gráfica de una ecuación
Completa la tabla de pares ordenados. Haz la gráfica de la ecuación en un plano cartesiano.
$y = 2x + 5$

x	2*x* + 5	*y*	(*x*, *y*)
0	2(0) + 5	_	(0, _)
1	2(1) + 5	_	(1, _)
2	2(_) + 5	_	(_, _)
3	2(_) + 5	__	(_, __)

Traza los puntos de la tabla en el plano cartesiano.
El primer punto es (0, 5). Busca el 0. ¿Qué te dice este valor?

_____

Ahora busca el 5. ¿Te dice que está arriba o abajo? _____

Traza el resto de los puntos y únelos con una línea recta.

Holt Pre-Álgebra

LECCIÓN
1-9
Guía interactiva de estudio
Cómo interpretar gráficas y tablas

Cómo representar situaciones mediante tablas

Marcy, Susie y Brian trabajan en una compañía de mensajería. La tabla muestra cuántos paquetes entregó cada persona cada día durante cuatro días. Di qué persona corresponde a cada situación descrita.

Día	1	2	3	4
Persona 1	100	140	0	100
Persona 2	150	130	150	0
Persona 3	80	85	100	90

A. El día 2, Brian tuvo más entregas que en el día 1 y el día 3 se reportó enfermo.

¿Quiénes tuvieron un aumento en el número de paquetes del

día 1 al día 2? _____

¿Cuántos paquetes entrega una persona que se reporta

enferma? _____

Según la tabla, ¿qué persona se reportó enferma el

día 3? _____

¿Qué persona de la tabla es Brian? _____

B. Como Marcy es nueva en el empleo, entregó menos paquetes que los demás los días 1 y 2.

¿Quién entregó menos paquetes los días 1 y 2?

_____

¿Qué persona de la tabla es Marcy? _____

C. Susie realizó más entregas que las demás personas el día 1. Sus entregas disminuyeron ligeramente el día 2 y tomó un descanso el día 4.

¿Quién realizó más entregas el día 1? _____

¿Cuántos paquetes entrega una persona que toma un descanso de

un día? _____

¿Qué persona entregó esta cantidad de paquetes el día 4?

_____

¿Qué persona de la tabla es Susie? _____

Holt Pre-Álgebra

LECCIÓN 2-1
Guía interactiva de estudio
Cómo sumar enteros

Los números cabales, sus **opuestos** y el cero forman el conjunto de números **enteros.** El **valor absoluto** es la distancia a la que se encuentra un número del 0 en una recta numérica.

Vocabulario
valor absoluto
entero
opuesto

Cómo usar una recta numérica para sumar enteros
Usa una recta numérica para encontrar la suma.

$3 + (-8)$

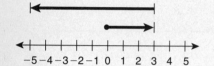

A partir de cero, ¿en qué dirección debes avanzar primero?

_____

¿Cuántas unidades? _____ A partir de aquí ¿en qué dirección debes avanzar? _____ ¿Por qué? _____

¿Cuántas unidades? _____ Debes terminar en _____.

Por lo tanto, $3 + (-8) =$ _____.

Al sumar enteros con el *mismo* signo, encuentra la suma de los valores absolutos. El resultado deberá tener el mismo signo que los enteros.

Al sumar enteros con signos *diferentes*, encuentra la diferencia de los valores absolutos. El resultado deberá tener el signo del mayor valor absoluto.

Cómo usar el valor absoluto para sumar enteros
Suma.

A. $-4 + (-6)$ ¿Cuál es la suma de 4 y 6? _____

$-4 + (-6)$ ¿Son los signos iguales o diferentes? _____

_____   El signo del resultado debe ser _____.

B. $2 + (-7)$ ¿Cuál es la diferencia entre 7 y 2? _____

$2 + (-7)$ ¿Es el resultado positivo o negativo? _____

_____   ¿Cómo lo sabes? _____

Cómo evaluar expresiones que tienen enteros
Evalúa $t + 17$ para $t = -6$.
$t + 17$

_____ + 17   ¿Con qué valor debes sustituir t? _____

¿Cuál es la diferencia entre 17 y 6? _____

$-6 + 17 =$ _____   ¿Es 17 mayor o menor que 6? _____

Por lo tanto, el signo debe ser _____.

Holt Pre-Álgebra

Guía interactiva de estudio

LECCIÓN 2-2 *Cómo restar enteros*

Restar un entero es lo mismo que sumarle su opuesto.

$a - b = a + (-b)$ $a - (-b) = a + b$

Cómo restar enteros

A. $-7 - 9$

$-7 - 9 = -7 +$ _____

$=$ _____

¿Cuál es el opuesto de 9? _____

¿Cuánto es 7 + 9? _____

¿Son los signos iguales o diferentes? _____

¿Es el resultado positivo o negativo? _____

B. $3 - (-5)$

$3 - (-5) = 3 +$ _____

$=$ _____

¿Cuál es el opuesto de −5? _____

¿Cuánto es 3 + 5? _____

Como los signos son iguales, el resultado es _____.

Cómo evaluar expresiones que tienen enteros

Evalúa cada expresión con el valor dado a la variable.

A. $9 - w$ para $w = -7$

$9 - w$

$9 -$ _____

$9 +$ _____

_____

¿Con qué valor debes sustituir w? _____

¿Cuál es el opuesto de −7? _____

¿Cuánto es 9 + 7? _____

¿Es el resultado positivo o negativo? _____

B. $-6 - k$ para $k = -11$

$-6 - k$

$-6 -$ _____

$-6 +$ _____

_____

¿Con qué valor debes sustituir k? _____

¿Cuál es el opuesto de −11? _____

¿Qué número es mayor, 11 ó 6? _____

¿Es el resultado positivo o negativo? _____

Aplicación

Un clavadista se lanza a una piscina de una plataforma de 15 m de altura.
En total, desciende 18 m. ¿A qué profundidad descendió dentro del agua?

¿Cuál es la altura de la plataforma? _____ ¿Qué distancia descendió el clavadista? _____

Resta la distancia que descendió de la altura de la plataforma.

15 _____ $=$ _____   ¿Es el resultado "+" o "−"? _____

El clavadista descendió _____ metros bajo el agua.

Holt Pre-Álgebra

Nombre_____ Fecha_____ Clase_____

Guía interactiva de estudio
Cómo multiplicar y dividir enteros

El producto o cociente de dos números con el mismo signo siempre es positivo.

$(+) \cdot (+) = (+)$ ó $(-) \cdot (-) = (+)$

El producto o cociente de dos números con signos diferentes siempre es negativo.

$(+) \cdot (-) = (-)$ ó $(-) \cdot (+) = (-)$

Cómo multiplicar y dividir enteros

Multiplica o divide.

A. $8(-5)$ ⠀⠀⠀⠀⠀ ¿Son los signos iguales o diferentes? _____

_____ ⠀⠀⠀⠀⠀⠀ Multiplica. ¿Es el resultado positivo o negativo? _____

B. $\dfrac{-54}{-6}$ ⠀⠀⠀ ¿Son los signos iguales o diferentes? _____

_____ ⠀⠀⠀⠀⠀⠀ Divide. ¿Es el resultado positivo o negativo? _____

Cómo trazar soluciones de ecuaciones con enteros

Completa la tabla de soluciones. Usa la ecuación $y = -3x - 4$ para $x = -2$, -1, 0 y 1. Marca los puntos en el plano cartesiano.

x	−3x − 4	y	(x, y)
−2	−3(−2) − 4	2	(−2, 2)
−1	−3_____ − 4	___	_____
0	−3_____ − 4	−4	_____
1	−3_____ − 4	−7	_____

Si $x = -1$, ¿cuánto vale y? _____

¿Cuál es el par ordenado? _____

Si $x = 0$, ¿cuánto vale y? _____

¿Cuál es el par ordenado? _____

Si $x = 1$, ¿cuánto vale y? _____

¿Cuál es el par ordenado? _____

Traza los pares ordenados.

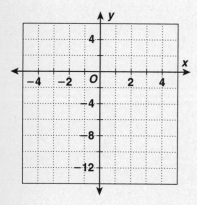

Holt Pre-Álgebra

Nombre _____ Fecha _____ Clase _____

Para resolver una ecuación, usa las propiedades de igualdad y despeja
la variable.

Variable despejada   **Variable sin despejar**
$x = 8 - 9$ $x + 9 = 8$

Cómo resolver ecuaciones con sumas y restas
Resuelve.

A. $y + 9 = 5$ ¿Cuál es la variable que necesitas despejar? _____

$y + 9 = 5$ Para despejar la variable, resta _____ en ambos lados.

____ ____

$y =$ ____   Resta. ¿Es y positiva o negativa?

B. $-3 + k = -27$ ¿Qué necesitas despejar? _____

____ $+ k = -27$ ¿Qué debes sumar en ambos lados? _____

____ ____

$k =$ ____   Suma. ¿Es k positiva o negativa?

Cómo resolver ecuaciones con multiplicaciones y divisiones
Resuelve.

A. $\dfrac{w}{-8} = -4$ ¿Qué necesitas despejar? _____

$\dfrac{w}{-8} = -4$ ¿Qué es lo opuesto de dividir? _____

$\dfrac{w}{-8} \cdot (\_\_\_) = -4 \cdot (\_\_\_)$ Multiplica ambos lados por ____ para despejar
la variable.

$w =$ ____   Multiplica. Si multiplicas un número negativo por otro

número negativo, el producto es _____.

B. $-49 = 7a$ ¿Qué necesitas despejar? ____

$\dfrac{-49}{7} = \dfrac{7a}{7}$ ¿Cómo puedes despejar la variable?

_____

____ $= a$ Divide.

$a =$ ____   ¿Qué propiedad te permite escribir la ecuación con la

variable al principio? _____

                   Holt Pre-Álgebra

Nombre _____ Fecha _____ Clase _____

Guía interactiva de estudio
Cómo resolver desigualdades con enteros

Para resolver una desigualdad es necesario despejar la variable.

Variable despejada
$x \geq 8 - 9$

Variable sin despejar
$x + 9 \geq 8$

Al representar desigualdades en una recta numérica, usa un círculo cerrado para los signos $\geq$ y $\leq$. Usa un círculo abierto para $>$ y $<$.

Cómo resolver desigualdades con sumas y restas
Resuelve y representa gráficamente.

$w + 2 \leq -3$

$w + 2 \leq -3$ ¿Qué necesitas despejar? _____

_____ _____   Resta _____ en ambos lados para despejar la variable.

$w \leq -5$ Simplifica.

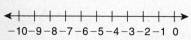   Representa gráficamente la solución.

$-10\ -9\ -8\ -7\ -6\ -5\ -4\ -3\ -2\ -1\ 0$ ¿Dónde inicia la línea? _____

                                ¿Usarás un círculo abierto o cerrado? _____

                                ¿Cómo lo sabes? _____

                                ¿Trazarás la línea a la izquierda o a la derecha? _____

Al multiplicar o dividir con números negativos para resolver una desigualdad, recuerda invertir el signo de la desigualdad.

Cómo resolver desigualdades con multiplicaciones y divisiones
Resuelve y representa gráficamente.

$4z < 24$

$\dfrac{4z}{\_} < \dfrac{24}{\_}$ ¿Cómo despejas la variable?

                                _____

$z < 6$ Si divides entre un número positivo, ¿qué sucede con la dirección del signo de la desigualdad?

                                _____

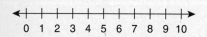   Representa gráficamente la solución.

$0\ 1\ 2\ 3\ 4\ 5\ 6\ 7\ 8\ 9\ 10$ ¿En dónde empieza la línea? _____

                                ¿Usarás un círculo abierto o cerrado? _____

                                ¿En qué dirección trazarás la línea? _____

Holt Pre-Álgebra

Guía interactiva de estudio

Exponentes

Una **potencia** es un término como 3^2, donde la **base** es 3 y el exponente es 2. El **exponente** indica cuántas veces se usa la base como factor.

Vocabulario
base
exponente
potencia

Cómo escribir exponentes
Escribe con exponentes.

A. $5 \cdot 5 \cdot 5 \cdot 5$

¿Cuántas veces se usa 5 como factor? ____

$5 \cdot 5 \cdot 5 \cdot 5 =$ ____

La base es ____ y el exponente es ____.

B. $(-6) \cdot (-6) \cdot (-6)$

Cuántas veces se usa −6 como factor? ____

$(-6) \cdot (-6) \cdot (-6) =$ _____

La base es ____ y el exponente es ____.

C. $x \cdot x \cdot x \cdot x \cdot x \cdot x$

¿Cuántas veces se usa x como factor? ____

$x \cdot x \cdot x \cdot x \cdot x \cdot x =$ ____

La base es ____ y el exponente es ____.

D. 4

¿Cuántas veces se usa 4 como factor? ____

$4 =$ ____

La base es ____ y el exponente es ____.

Cómo evaluar potencias
Evalúa.

A. 3^5

¿Cuántas veces se multiplica 3 por sí mismo? ____

$3^5 =$ _____

Halla el resultado de multiplicar cinco veces 3. _____

$3^5 =$ _____

B. $(-4)^3$

¿Cuántas veces se multiplica −4 por sí mismo? ____

$(-4)^3 =$ _____

Encuentra el resultado de multiplicar tres veces −4. _____

$(-4)^3 =$ _____

Cómo simplificar expresiones que tienen potencias
Simplifica. $62 - 3(4 \cdot 2^2)$

$62 - 3(4 \cdot 2^2)$

$62 - 3(4 \cdot$ ____$)$ ¿Qué simplificas primero? _____

¿Cuál es el siguiente paso? _____

62 _____   Simplifica.

¿Qué haces a continuación, restar o multiplicar? _____

____   Simplifica.

____   Resta.

Holt Pre-Álgebra

Guía interactiva de estudio

Propiedades de los exponentes

Los factores de una potencia pueden agruparse de diferentes maneras
y dar el mismo producto. Cuando los factores tienen la misma base,
recuerda estas reglas:

Multiplicación: suma los exponentes   División: resta los exponentes

Cómo multiplicar potencias con la misma base

Multiplica. Escribe el producto como una potencia.

A. $6^4 \cdot 6^7$

$6^4 \cdot 6^7$ ¿Son iguales las bases? _____

6————   ¿Qué se hace con los exponentes al multiplicar? _____

6—   ¿Cambió la base? _____ ¿Cuál es el exponente? _____

B. $t \cdot t^8$

$t \cdot t^8$ ¿Son iguales las bases? _____

t— $\cdot t^8$ ¿Cuál es el exponente de la primera t? _____

t————   ¿Qué se hace con los exponentes al multiplicar potencias con la misma

base? _____

_____   ¿Cuál es el exponente de t? _____

C. $5^3 \cdot 2^6$ ¿Son iguales las bases? _____

_____   ¿Se pueden combinar los exponentes? _____

Cómo dividir potencias con la misma base

Divide. Escribe el cociente como una sola potencia.

A. $\dfrac{10^{12}}{10^9}$

$\dfrac{10^{12}}{10^9}$ ¿Son iguales las bases? _____

10————   ¿Qué se hace con los exponentes al dividir? _____

_____   ¿Cuál es la base? _____ ¿Cuál es el exponente? _____

B. $\dfrac{x^5}{n^3}$ ¿Son iguales las bases? _____

¿Se pueden combinar los exponentes? _____

____

Holt Pre-Álgebra

Nombre _____ Fecha _____ Clase _____

Guía interactiva de estudio
Algo para saber: Cómo hallar un patrón en los exponentes enteros

Un número elevado a una potencia negativa es igual a uno dividido entre ese número, pero elevado al opuesto del exponente.

Cómo usar un patrón para evaluar exponentes negativos
Evalúa las potencias de 10.

10^{-2} ¿Es el exponente positivo o negativo? _____

$10^{-2} = \dfrac{1}{\underline{\hspace{1cm}}}$ Escribe el recíproco y multiplica dos veces 10.

$10^{-2} = \dfrac{1}{\underline{\hspace{1cm}}} = \underline{\hspace{1cm}}$ Simplifica y escribe la fracción como un decimal.

Cómo evaluar exponentes negativos
Evalúa.

$(-3)^{-5}$ ¿Cuál es el exponente? _____

                    Cuando el exponente es negativo, escribe el recíproco.

_____   ¿Qué signo tiene ahora el exponente? _____

$\underline{\hspace{2cm}}$
-3 Multiplica cinco veces -3.

                    ¿Cuál es el producto del denominador? _____

_____

Cómo evaluar productos y cocientes de exponentes negativos
Evalúa.

A. $6^4 \cdot 6^{-4}$ ¿Son iguales las bases? _____

  $6^{\underline{\hspace{1cm}}}$ ¿Qué debes hacer con los exponentes? _____

  $6^{\underline{\hspace{0.5cm}}}$ ¿Cuál es el nuevo exponente? _____

  _____   Cualquier número elevado a la potencia 0 es igual a _____.

B. $\dfrac{4^2}{4^6}$ ¿Son iguales las bases? _____

  $4^{\underline{\hspace{1cm}}}$ ¿Qué debes hacer con los exponentes? _____

                 Para cambiar el signo del exponente, escribe el _____.

  $\underline{\hspace{0.5cm}}$

  $\dfrac{1}{\underline{\hspace{1cm}}}$ Simplifica.

Holt Pre-Álgebra

Nombre _____ Fecha _____ Clase _____

2-9

Guía interactiva de estudio
Notación científica

Una manera breve de escribir números muy grandes es la **notación científica.**

notación científica

Cómo convertir de notación científica a forma estándar
Escribe cada número en forma estándar.

A. 3.72×10^6

3.72×10^6 ¿Es el exponente de 10 positivo o negativo? _____

$3.72 \times$ _____ 10^6 tiene ____ ceros.

_____   Recorre el punto decimal ____ lugares a la _____.

B. 2.46×10^{-3}

2.46×10^{-3} ¿Es el exponente de 10 positivo o negativo? _____

$2.46 \times$ _____   ¿A cuánto es igual 10^{-3}?

$2.46 \div$ _____   Divide entre el recíproco.

_____   Recorre el punto decimal ____ lugares a la _____.

C. -8.9×10^5

-8.9×10^5 ¿Es el exponente de 10 positivo o negativo? _____

$-8.9 \times$ _____ 10^5 tiene ____ ceros.

_____   Recorre el punto decimal ____ lugares a la _____.

Cómo convertir de forma estándar a notación científica
Escribe 0.0000378 en notación científica.

0.0000378

3.78   ¿Cuántos lugares debes recorrer el punto decimal para

    obtener un número entre 1 y 10? ____

$3.78 \times$ ____ $^?$ Define la notación científica.

    ¿En qué dirección debes recorrer el punto decimal para

    convertir 3.78 en 0.0000378? _____

    ¿Es el exponente positivo o negativo? _____

3.78×10——   ¿Cuál es el exponente?

Comprueba: ¿Es $3.78 \times 10^{-5} = 3.78 \times 0.00001 = 0.0000378$? _____

Copyright © by Holt, Rinehart and Winston.
All rights reserved.

18

Holt Pre-Álgebra

Guía interactiva de estudio

LECCIÓN 3-1 *Números racionales*

Un **número racional** es cualquier número que se puede escribir como fracción $\frac{n}{d}$, donde n y d son enteros y $d \neq 0$. Los decimales cerrados y periódicos son números racionales.

Vocabulario
número racional

$$\frac{6}{24} = \frac{1}{4} \qquad -0.55\overline{5} = -\frac{5}{9} \qquad 0.2 = \frac{2}{10}$$

Cómo simplificar fracciones

Escribe $\frac{8}{12}$ en su mínima expresión.

$\frac{8}{12}$ ¿Qué factor tienen en común 8 y 12? _____

$\frac{8 \underline{\quad}}{12 \underline{\quad}}$ ¿Cómo simplificas la fracción? _____

_____

$\frac{2}{3}$ ¿Cómo sabes que la respuesta está en su mínima expresión?

_____

Cómo escribir decimales como fracciones

Escribe −0.125 como una fracción en su mínima expresión.

Coloca en el numerador todos los dígitos que están a la derecha del punto

decimal y usa el valor posicional del dígito del extremo derecho como _____.

−0.12_   ¿Cuál es el último dígito del extremo derecho? _____

               ¿Qué valor posicional tiene el 5? _____

$-0.125 = \frac{\overline{\quad\quad}}{\overline{\quad\quad}}$ Escribe el decimal como fracción.

$= \frac{-1}{8}$ _____ es el factor común de 125 y 1000.

Cómo escribir fracciones como decimales

Usa la división larga para escribir $\frac{8}{3}$ como decimal.

¿Qué número es el dividendo? _____

¿Cuántas veces cabe 3 en 8? _____

¿Cuántas veces cabe 3 en 20? _____

$$3\overline{).00}$$
$$\underline{-6}$$
$$20$$
$$\underline{-18}$$
$$2$$

$\frac{8}{3} = \underline{\quad}.\overline{6}$

Holt Pre-Álgebra

Guía interactiva de estudio

LECCIÓN 3-2 *Cómo sumar y restar números racionales*

Alinea los puntos decimales para sumar o restar decimales.

sin alinear	**alineados**
0.123	0.123
+ 12.04	+ 12.040

Aplicación

Allen Johnson corrió los 110 metros con obstáculos en 13.03 segundos.
Si tardó 0.125 segundos en reaccionar al escuchar el disparo de salida,
¿cuánto tardó realmente en cubrir los 110 metros?

Para resolver este problema, ¿debes sumar o restar? _____

$\begin{array}{r} 13.03\underline{} \\ - 0.125 \\ \hline \end{array}$ ¿Cuántos ceros debes agregar para alinear los decimales? _____

_____ Resta.

Johnson tardó realmente _____ en cubrir los 110 metros.

Para sumar o restar fracciones con denominadores iguales, suma los
numeradores y conserva el denominador.

Cómo sumar y restar fracciones con denominadores iguales

Resta $\left(\dfrac{-3}{5}\right) - \dfrac{4}{5}$.

$\left(\dfrac{-3}{5}\right) - \dfrac{4}{5} = \dfrac{-3}{5} - \dfrac{4}{5}$ Suma el opuesto de la segunda fracción.

$= \dfrac{-3 + (-4)}{\underline{}}$ ¿Qué valor usarás como denominador?

$= \underline{}$ Suma. ¿El resultado es positivo o negativo? ¿Por qué? _____

_____

Cómo evaluar expresiones con números racionales

Evalúa la expresión con el valor dado a la variable.

$8.4 + x$ para $x = -21.7$

$8.4 + (-\underline{})$ ¿Por qué número sustituyes a x? _____

_____   Suma. ¿Cómo hallas la suma? _____

¿El resultado es positivo o negativo? _____

¿Cómo lo sabes? _____

20

Holt Pre-Álgebra

Guía interactiva de estudio

Cómo multiplicar números racionales

Al multiplicar fracciones, multiplica los numeradores y luego los denominadores.

El producto de dos números con signos iguales es positivo.
$(+) \bullet (+) = (+)$ ó $(-) \bullet (-) = (+)$

El producto de dos números con signos diferentes es negativo.
$(+) \bullet (-) = (-)$ ó $(-) \bullet (+) = (-)$

Cómo multiplicar una fracción por un entero
Multiplica. Escribe la respuesta como número mixto en su mínima expresión.

$$-5\left(2\frac{3}{4}\right)$$

$= -5\left(\dfrac{\quad}{\quad}\right)$ Para convertir un número mixto en fracción impropia, se

_____ el denominador por el número cabal y luego

se _____ el numerador.

$= -\dfrac{=}{=}$ Para multiplicar una fracción por un entero, el numerador se _____

por el entero y el denominador se _____ por _____.

$=$ _____   Escribe el resultado como número mixto. ¿El resultado es positivo

o negativo? _____ ¿Cómo lo sabes? _____

_____

Cómo multiplicar fracciones
Multiplica. Escribe la respuesta en su mínima expresión.

$$\frac{-3}{5}\left(\frac{-2}{3}\right)$$

$= \dfrac{-3 \bullet \overline{\quad}}{\underline{\quad} \bullet 3}$ Para multiplicar fracciones, se _____ los numeradores y luego se

_____ los denominadores.

$= \dfrac{(\cancel{\;})(-2)}{\underline{\quad}}$ Cancela los factores comunes.

$=$ _____   Simplifica. ¿El resultado es positivo o negativo? _____

¿Cómo lo sabes? _____

_____

Holt Pre-Álgebra

Guía interactiva de estudio

LECCIÓN 3-4 *Cómo dividir números racionales*

Para dividir un número entre una fracción, multiplícalo por el recíproco. El **recíproco** de un número se encuentra al intercambiar el numerador y el denominador.

Vocabulario
recíproco

Número

$\dfrac{7}{8}$

-2

Recíproco

$\dfrac{8}{7}$

$\dfrac{-1}{2}$

Producto

$\dfrac{7}{8} \cdot \dfrac{8}{7} = 1$

$-2 \cdot \dfrac{-1}{2} = 1$

Para dividir un decimal entre otro, multiplica ambos números por una potencia de 10, de manera que puedas dividir entre un número cabal.

Cómo dividir fracciones

Divide. Escribe la respuesta en su mínima expresión.

A. $\dfrac{7}{18} \div \dfrac{1}{2}$

$\dfrac{7}{18} \div \dfrac{1}{2} = \dfrac{7}{18} \cdot \underline{} =$ ¿Cuál es el recíproco de $\dfrac{1}{2}$?

$= \dfrac{7 \cdot 2}{\underline{}}$ ¿Cuántas veces cabe 2 en 18?

$= \dfrac{}{\underline{}} =$ Simplifica.

B. $3\dfrac{1}{6} \div \dfrac{2}{3}$

$3\dfrac{1}{6} \div \dfrac{2}{3} = \underline{} \div \dfrac{2}{3}$ Para escribir $3\dfrac{1}{6}$ como una fracción impropia, multiplica ____ por

_____ y suma el numerador 1.

$\dfrac{19}{6} \div \dfrac{2}{3} = \dfrac{19}{6} \cdot \underline{}$ Multiplica por el recíproco de $\dfrac{2}{3}$.

$= \dfrac{19 \cdot 3}{\underline{}}$ ¿Cuál es el factor común? _____

$= \dfrac{19}{4} = \underline{}$ Multiplica y escribe la respuesta como número mixto.

Holt Pre-Álgebra

Guía interactiva de estudio

LECCIÓN 3-5 *Cómo sumar y restar con denominadores distintos*

Para sumar o restar fracciones con denominadores distintos primero debes hallar el común denominador. Dos métodos que puedes usar para hallar el común denominador son:

Método 1: Multiplica un denominador por el otro.

Método 2: Encuentra el **mínimo común denominador (mcd),** que es el mínimo común múltiplo de los denominadores.

Cómo sumar fracciones con denominadores distintos

Suma. $\dfrac{3}{5} + \dfrac{1}{7}$

Para sumar dos fracciones, necesitas un _____.

Multiplica 5 × 7 para obtener un común denominador de _____.

$= \dfrac{3}{5}\left(\underline{\hspace{2cm}}\right) + \dfrac{1}{7}\left(\underline{\hspace{2cm}}\right)$ Multiplica por fracciones iguales a _____.

$= \underline{\hspace{1.5cm}} + \underline{\hspace{1.5cm}}$ Escribe usando el común denominador.

$= \underline{\hspace{1.5cm}}$ Suma los _____ y conserva el mismo

_____

Cómo evaluar expresiones con números racionales.

Evalúa $n - \dfrac{3}{5}$ para $n = -\dfrac{1}{7}$.

$n - \dfrac{3}{5}$

$= \dfrac{\underline{\hspace{1cm}}}{\underline{\hspace{1cm}}} - \dfrac{3}{5}$ Sustituye n por_____ .

$= \left(-\dfrac{1}{7}\right)\left(\dfrac{\underline{\hspace{0.8cm}}}{\underline{\hspace{0.8cm}}}\right) - \dfrac{3}{5}\left(\dfrac{\underline{\hspace{0.8cm}}}{\underline{\hspace{0.8cm}}}\right)$ Multiplica por fracciones iguales a _____.

$= -\dfrac{5}{\underline{\hspace{0.8cm}}} - \dfrac{21}{\underline{\hspace{0.8cm}}}$ Escribe usando el común denominador.

$= -\dfrac{\underline{\hspace{1cm}}}{35}$ Resta. ¿El resultado es positivo o negativo?

_____

Holt Pre-Álgebra

Guía interactiva de estudio

LECCIÓN 3-6 *Álgebra: Cómo resolver ecuaciones con números racionales*

Para resolver una ecuación, despeja la variable. Mediante las operaciones inversas puedes despejar la variable.

Cómo resolver ecuaciones con decimales
Resuelve.

A. $w - 6.5 = 31$

_____ _____   ¿Qué número debes sumar en ambos lados?

$w =$ _____   ¿Cuánto vale w?

B. $\dfrac{x}{4.6} = 8$

$\dfrac{x}{4.6} \cdot$ _____ $= 8 \cdot ($_____$)$ Para despejar x, multiplica ambos lados de la ecuación por _____.

$x =$ _____   ¿Cuánto vale x?

¿Cómo compruebas la respuesta? _____

_____

C. $-3.7x = 22.2$

$\dfrac{-3.7x}{-\underline{}} = \dfrac{22.2}{-\underline{}}$ ¿Entre qué número debes dividir ambos lados de la ecuación?

$x =$ _____   ¿Cuánto vale x?

Cómo resolver ecuaciones con fracciones
Resuelve.

$x + \dfrac{3}{5} = \dfrac{6}{7}$

$x + \dfrac{3}{5} -$ _____ $= \dfrac{6}{7} -$ _____   ¿Qué número debes restar en ambos lados de la ecuación?

$x = \dfrac{6}{7} - \dfrac{3}{5}$ Para restar las fracciones, primero encuentra su

_____ .

$x = \dfrac{30}{\underline{}} - \dfrac{21}{\underline{}}$ ¿Cuál es el común denominador?

$x =$ _____   ¿Cuánto vale x?

Holt Pre-Álgebra

Guía interactiva de estudio

LECCIÓN 3-7 *Álgebra: Cómo resolver desigualdades con números racionales*

Para resolver una desigualdad, usa operaciones inversas para despejar la variable.

Si multiplicas o divides entre un número negativo, debes invertir el símbolo de la desigualdad.

Cómo resolver desigualdades con decimales
Resuelve.

A. $w - 16.3 > 42$

$w - 16.3 > 42$

$+ \underline{\quad\quad} + \underline{\quad\quad}$ ¿Qué número debes sumar en ambos lados?

$w > \underline{\quad\quad}$ ¿w es mayor que qué número?

B. $-4.9x \leq 24.5$

$\dfrac{-4.9x}{\underline{\quad}} \;\boxed{}\; \dfrac{24.5}{\underline{\quad}}$ ¿Entre qué número debes dividir ambos lados?

$x \;\boxed{}\; -5$ ¿Qué debes hacer con el símbolo de desigualdad?

_____ ¿Por qué? _____

_____

Cómo resolver desigualdades con fracciones
Resuelve.

$6\dfrac{2}{3}x \leq \dfrac{1}{9}$

$\dfrac{x}{\underline{\quad}} \leq \dfrac{1}{9}$ ¿Cómo conviertes $6\dfrac{2}{3}$ en fracción impropia? _____

_____

$\dfrac{20x}{3} \cdot \underline{\quad} \leq \dfrac{1}{9} \cdot \underline{\quad}$ ¿Por qué número multiplicas ambos lados?

$\dfrac{x}{\diagup} \cdot \dfrac{\diagup}{\diagup} \leq \dfrac{1}{\diagup} \cdot \dfrac{\diagup}{\diagup}$ ¿Qué factores comunes puedes cancelar?

_____ y _____

$x \leq \dfrac{\underline{\quad}}{\underline{\quad}}$ ¿x es menor o igual a qué número?

Holt Pre-Álgebra

Nombre_____ Fecha_____ Clase_____

Guía interactiva de estudio

LECCIÓN 3-8 *Cuadrados y raíces cuadradas*

Todo número positivo tiene dos raíces cuadradas, una positiva y otra negativa. La positiva se denomina **raíz cuadrada principal.** Un **cuadrado perfecto** es un número cuya raíz cuadrada es un entero.

Vocabulario
cuadrado perfecto
raíz cuadrada
   principal

Cuadrados perfectos
25; 36; 196

No son cuadrados perfectos
12; 37; 186

Lo opuesto de elevar un número al cuadrado es obtener su raíz cuadrada.
$10^2 = 100$ $\sqrt{100} = 10$

Cómo obtener las raíces cuadradas positiva y negativa de un número
Halla las dos raíces cuadradas de 49.

49

$\sqrt{49} = $ _____   ¿Qué dos números multiplicados dan 49? _____

$-\sqrt{49} = $ _____   ¿Qué otros dos números multiplicados dan 49?

_____

Aplicación
Una alfombra cuadrada tiene un área de 1024 pies cuadrados. ¿Cuánto miden sus lados?

$A = \ell^2$ Usa la fórmula de área del cuadrado para hallar el lado, ℓ.

$1024 = \ell^2$ Obtener la raíz cuadrada de un número es lo _____
           a elevarlo al cuadrado.

$\sqrt{1024} = \sqrt{\ell^2}$ Halla la raíz cuadrada de ambos lados.

_____ $= \ell$ ¿Cuánto mide cada lado de la alfombra? ¿En qué unidades?

¿Puede ser negativa la longitud de un lado de la alfombra? Explica.

_____

Cómo evaluar expresiones
Evalúa la expresión $3\sqrt{36} + 5$.

$3\sqrt{36} + 5$

$3($_____$) + 5$ ¿Cuál es la raíz cuadrada de 36?

_____ $+ 5$ ¿Qué debes hacer primero, según el orden de las operaciones?

_____

_____   Suma.

Holt Pre-Álgebra

Guía interactiva de estudio

LECCIÓN 3-9 *Cómo hallar raíces cuadradas*

Cuando un número no es un cuadrado perfecto, puedes estimar su raíz cuadrada con cualquiera de estos métodos:

Método 1: Busca los dos cuadrados perfectos entre los que está el número.

Método 2: Usa una calculadora y redondea la raíz cuadrada a la cantidad necesaria de decimales.

Cómo estimar raíces cuadradas de números que no son cuadrados perfectos

Cada raíz cuadrada está entre dos enteros. Menciona cuáles son los enteros.

A. $\sqrt{40}$ ¿Qué cuadrados perfectos están cerca de 40? _____ y _____

     $6^2 =$ _____   ¿Qué cuadrado perfecto es menor que 40? _____

     $7^2 =$ _____   ¿Qué cuadrado perfecto es mayor que 40? _____

$\sqrt{40}$ está entre los enteros _____ y _____.

B. $-\sqrt{130}$ ¿Qué cuadrados perfectos están cerca de 130?

                                     _____ y _____

     $(-11)^2 =$ _____   ¿Qué cuadrado perfecto es menor que 130? _____

     $(-12)^2 =$ _____   ¿Qué cuadrado perfecto es mayor que 130? _____

$-\sqrt{130}$ está entre los enteros _____ y _____.

Cómo usar una calculadora para estimar el valor de una raíz cuadrada

Usa una calculadora para hallar $\sqrt{475}$. Redondea al décimo más cercano.

Con una calculadora, $\sqrt{475} \approx 21.7$_____. . .

¿Cuánto es 21.794494 redondeado a la posición de los décimos? _____

Holt Pre-Álgebra

Nombre _____ Fecha _____ Clase _____

Guía interactiva de estudio
Los números reales

Los **números reales** son el conjunto de los números racionales y los **números irracionales.** Los números irracionales son números decimales que no son cerrados ni periódicos.

Vocabulario
número irracional
número real

Números reales

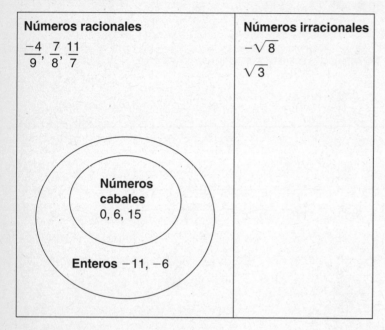

Números racionales	Números irracionales
$\dfrac{-4}{9}, \dfrac{7}{8}, \dfrac{11}{7}$	$-\sqrt{8}$ $\sqrt{3}$

Números cabales
0, 6, 15

Enteros −11, −6

Cómo clasificar números reales
Escribe todas las clases a las que pertenece cada número.

A. $\sqrt{13}$

¿Es 13 un cuadrado perfecto?

_____

Clasifica $\sqrt{13}$.

_____

B. −21.78

¿Es −21.78 un decimal cerrado

o periódico? _____

¿Es −21.78 un número racional

o irracional? _____

Clasifica −21.78. _____

Cómo clasificar los números
Indica si el número es racional, irracional o no es un número real.

A. $\sqrt{11}$ Clasifica el número 11. _____

¿Es 11 un cuadrado perfecto? _____

¿Cómo clasificas a $\sqrt{11}$? _____

B. $\dfrac{15}{0}$ ¿Puedes dividir un número entre cero? _____

¿Cómo clasificas este número? _____

Holt Pre-Álgebra

Guía interactiva de estudio

LECCIÓN 4-1 *Muestras y encuestas*

Las encuestas sirven para estudiar un grupo completo o una **población.** Para evaluar una encuesta necesitas conocer la **muestra,** o parte de la población en estudio. Si la muestra no es una buena representación del grupo o población que se desea estudiar, decimos que es una **muestra no representativa.**

Vocabulario
muestra no representativa
población
muestra aleatoria
muestra
muestra por estratos
muestra sistemática

Cómo identificar muestras

Identifica la población y la muestra. Di por qué podría tratarse de una muestra no representativa.

En un hotel, un empleado pregunta a las primeras cincuenta personas que salen el domingo si les gustó la nueva piscina.

Completa la tabla.

Población	Muestra	¿Por qué no es representativa?

Los métodos de muestreo que garantizan que la muestra producirá información válida son:

aleatorio: se selecciona un miembro al azar
sistemático: se selecciona un miembro según una regla o fórmula
por estratos: se selecciona un miembro al azar de un subgrupo elegido al azar

Cómo identificar métodos de muestreo

Identifica el método de muestreo usado.

A. Se seleccionan cinco equipos. Se elige un capitán por cada equipo.

La selección fue aleatoria y de un subgrupo, así que es una muestra _____

¿Cuál es el subgrupo? _____

B. Se escoge cada tercer nombre de una lista de voluntarios.

Se usa una regla, así que la muestra es _____.

¿Cuál es la regla? _____

C. Todos los compradores depositan sugerencias en una caja. El gerente saca una sugerencia y la comenta con los empleados.

La sugerencia se elige al azar, así que es una muestra _____ .

Holt Pre-Álgebra

Nombre _____ Fecha _____ Clase _____

Guía interactiva de estudio
Cómo organizar los datos

Las tablas, los **diagramas de tallo y hojas** y los **diagramas dobles de tallo y hojas** son tres maneras de organizar y presentar datos.

Vocabulario
diagrama doble de tallo y hojas
diagrama de tallo y hojas

Cómo organizar datos en tablas
Usa los datos para completar la tabla.

La familia de Jill quiere comprar un auto nuevo. Han reducido sus opciones a tres: El Arrow cuesta $34,600, rinde 20 mpg y le caben 5 pasajeros; el Falcon cuesta $32,800, rinde 23 mpg y le caben 7 pasajeros; el Sabre cuesta $31,900, rinde 21 mpg y le caben 7 pasajeros.

Vehículo	Arrow	Falcon	
Precio	$34,600		
mpg		23	
			7

Cómo organizar datos en diagramas de tallo y hojas
Usa los datos para hacer un diagrama de tallo y hojas.

El tiempo varía entre _____ y _____.

Los tallos son _____.

Completa los tallos y las hojas.

Tallos	Hojas
	0 5 5

¿Qué representa la clave 3 | 0? _____

Tiempo dedicado a estudiar cada noche (minutos)			
Matemáticas 30		Lectura	15
Lenguaje	10	Inglés	20
Historia	15	Ciencias	25

Cómo organizar datos en diagramas dobles de tallo y hojas
Usa los datos para hacer un diagrama de tallo y hojas.

Identifica los tallos. _____

Escribe los tallos en el diagrama. _____

Escribe las hojas; las derrotas se leen de derecha a izquierda.

¿Qué significa la clave 1| 0 |? _____

¿Qué significa la clave | 1 | 2? _____

Resultados del campeonato escolar de béisbol						
Año	97	98	99	00	01	02
Victorias	7	12	13	6	3	9
Derrotas	5	7	10	1	2	6

Derrotas ↓ Victorias

Holt Pre-Álgebra

Guía interactiva de estudio

LECCIÓN 4-3
Medidas de tendencia principal

Las medidas de tendencia principal son:
media: promedio
mediana: valor que está a la mitad
moda: valor más frecuente

Si un dato está muy alejado de la mayoría, se le llama **valor extremo.**

Vocabulario
media
mediana
moda
valor extremo

Cómo hallar medidas de tendencia principal
Halla la media, la mediana y la moda del conjunto de datos.
2, 6, 4, 8, 9, 4, 7, 46

Media: $2 + 6 + 4 + 8 + 9 + 4 + 7 + 46 =$ _____ Halla el total de los valores.

Media = $\dfrac{}{}$ = _____   Divide entre _____, el número total de valores.

Mediana: _____   Ordena los valores.

¿Entre qué valores se encuentra la mediana? _____ y _____

$\dfrac{ + }{2}$ = _____   Promedia los dos valores intermedios para hallar la mediana.

Moda: _____   ¿Qué valor es el más frecuente?

¿Hay un valor extremo? _____ Identifícalo _____

Sin el valor extremo, la media sería aproximadamente _____ .

Aplicación
Usa los datos de la tabla para hallar las respuestas.

Planetas	Diámetro (km)
Mercurio	4,800
Venus	12,103.6
Tierra	12,756.3
Marte	6,794
Júpiter	142,984
Saturno	120,536
Urano	51,118
Neptuno	49,532
Plutón	2,274

A. Halla el diámetro promedio de los planetas terrestres:
Mercurio, Venus, Tierra y Marte.

$\dfrac{4,800 + 12,103.6 + + }{4}$ = _____ km

B. Halla el diámetro promedio de los gigantes gaseosos:
Júpiter, Saturno, Urano y Neptuno.

$\dfrac{142,984 + + + }{4}$ = _____ km

C. Halla el diámetro promedio de todos los planetas.

$\dfrac{4,800 + + + + + + + + }{9}$

= _____ km

Holt Pre-Álgebra

Nombre_____ Fecha_____ Clase _____

Guía interactiva de estudio
Variabilidad

Variabilidad: describe qué tan extendido está un conjunto de datos
Rango: el valor máximo menos el valor mínimo
Primer cuartil: mediana de la mitad inferior
Tercer cuartil: mediana de la mitad superior

Una **gráfica de mediana y rango** muestra la distribución de los datos.
Usa un rectángulo para representar la mitad central de los datos, y
líneas para representar los cuartos superior e inferior.

Vocabulario
gráfica de mediana y rango
primer cuartil
tercer cuartil
rango
variabilidad

Cómo hallar medidas de variabilidad
Encuentra el rango, el primero y el tercer cuartil de este conjunto de datos.
12 19 16 20 13 14 13 17 19 14 16

Ordena los valores. _____

¿Cuál es la mediana de los datos? _____ Enciérrala en un recuadro.

Encierra en un recuadro la mitad inferior de los datos y halla su mediana (primer cuartil). _____

Encierra en un recuadro la mitad superior de los datos y halla su mediana (tercer cuartil). _____

Halla el rango. 20 − _____ = _____

Cómo hacer una gráfica de mediana y rango
Usa estos datos para hacer una gráfica de mediana y rango.
13 41 15 49 17 15 12 20 51 13 55 43 56

Paso 1

Ordena los datos. _____

Encuentra los valores siguientes.

valor mínimo: _____

primer cuartil: _____

mediana: _____

tercer cuartil: _____

valor máximo: _____

Paso 2
Traza una recta numérica con una línea vertical sobre
cada valor del Paso 1.

Paso 3
Traza líneas horizontales para formar el rectángulo y las
líneas de los extremos.

Holt Pre-Álgebra

Guía interactiva de estudio

LECCIÓN 4-5 *Cómo presentar datos*

Cómo presentar datos en una gráfica de barras

Organiza los datos en una tabla de frecuencia y haz una gráfica de barras.

Éstas son las edades que 15 adolescentes elegidos al azar tenían al obtener su primer empleo:

15 16 15 17 19 17 18 16 17 18 18 17 16 19 18

Primero organiza los datos en una tabla de frecuencias.

¿Cuántas veces aparece cada valor?

Empleos de adolescentes

Edad	15	16	17	18	19
Frecuencia	2	3	4	4	2

¿Qué título tiene la gráfica de barras?

_____

Rotula el eje de las *x* y el eje de las *y*.
Determina y marca la escala de cada eje.
Completa la gráfica de barras con los datos de la tabla de frecuencias.

Cómo presentar datos en un histograma

Para su gran venta de verano, una compañía que vende por catálogo quiere presentar sus productos agrupándolos según su rango de precios. Haz un histograma con los precios que te dan. Usa intervalos de $5.00.
$11 $8 $2 $4 $17 $9 $10 $13 $7 $11 $19 $3 $6 $4 $12 $14 $8 $9

¿Cuántos artículos hay en cada rango de precios?
Completa la tabla.

Rangos de precios

Precio ($)	Frecuencia
0–5	4
6–10	7
11–15	5
16–20	2

¿Qué rótulo tiene el eje de las *x*? ¿El de las *y*?

_____

Rotula los intervalos de ambos ejes. Completa el histograma dibujando las barras.

¿Debe haber espacios entre las barras? _____

Holt Pre-Álgebra

Nombre_____ Fecha_____ Clase_____

LECCIÓN 4-6 Guía interactiva de estudio
Gráficas y estadísticas engañosas

Los datos se pueden presentar de manera que distorsionen intencionalmente la información.

Cómo identificar gráficas engañosas
Explica por qué son engañosas las gráficas.

Deportes favoritos de estudiantes de 8º grado

golf | baloncesto | béisbol | fútbol americano

A.

¿A cuántos estudiantes les gusta el golf? ___

¿A cuántos estudiantes les gusta el baloncesto? ___

¿A cuántos estudiantes les gusta el béisbol? ___

¿A cuántos estudiantes les gusta el fútbol americano? ___

¿Por qué en la gráfica parece que más estudiantes

prefieren el baloncesto al golf? _____

Según la gráfica, ¿cuál es el deporte más popular? _____

B.

¿Dónde empieza la escala? ___

¿Cuántas personas prefieren la marca A? ___

¿Cuántas personas prefieren la marca B? ___

¿El doble de personas prefieren la marca B a la

marca A como parecen indicar las barras? _____

¿Qué sucede cuando la escala no empieza en 0?

_____

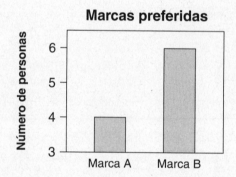

Marcas preferidas

Número de personas

Marca A   Marca B

Cómo identificar estadísticas engañosas
Explica por qué las estadísticas son engañosas.

Un publicista de una pizzería local pregunta a diez personas cuál es su ingrediente favorito. Seis personas votan por peperoni, tres por salchicha, una por champiñones y una por tocino. El anuncio dice "Pruebe nuestra pizza de peperoni. El doble de personas la prefieren a cualquier otro tipo de pizza".

¿A cuántas personas se les hizo la pregunta? ___

¿Cuántas de ellas prefirieron peperoni? ___

¿Cuántas votaron por salchicha? ___

¿Es significativa la diferencia entre 3 y 6? _____

¿La afirmación que se hace en el anuncio es veraz o engañosa? _____

Holt Pre-Álgebra

Guía interactiva de estudio

LECCIÓN 4-7 *Diagramas de dispersión*

Cómo hacer un diagrama de dispersión de un conjunto de datos

Un profesor quiere estudiar cómo afectan las horas de sueño a las calificaciones de un examen. Para ello reúne los datos que se muestran en la tabla. Usa los datos para hacer un diagrama de dispersión.

Rotula el eje de las *x* y el de las *y*.

Determina la escala de los ejes y márcala.

¿Cuántos puntos debes trazar?

_____

Representa gráficamente los datos de la tabla.
Por ejemplo, traza un punto en (5, 69).

¿Te parece que los datos tienen una correlación positiva, negativa o no tienen correlación?

_____

¿Cómo lo sabes? _____

_____

_____

Horas de sueño	Califi-cación	Horas de sueño	Califi-cación
5	69	8.5	87
5	65	9	91
6	80	9	93
6.5	77	10	85
7	79	10.5	92
7	85	11	100
8	83	12	97

Prueba de sueño

120

0

0   15

Cómo identificar correlaciones de datos

¿Los siguientes conjuntos de datos tienen correlación positiva o negativa, o no tienen correlación?

A. Edad y peso de un bebé.

Conforme un bebé crece, su peso _____. Los dos conjuntos de datos

_____, así que tienen una correlación _____.

B. El tiempo libre que tienes y el número de deportes que practicas.

Tu tiempo libre _____ conforme _____ el número

de deportes que practicas, así que los datos tienen una

correlación _____.

C. El precio de una camisa y el color de sus botones.

El color de los botones de una camisa no influye en su precio,

así que los datos _____.

Holt Pre-Álgebra

LECCIÓN
5-1
Guía interactiva de estudio
Puntos, líneas, planos y ángulos

Los conceptos fundamentales de la geometría son el punto, la línea y el plano.

Un **ángulo recto** mide 90°; un **ángulo obtuso** mide más de 90° pero menos de 180°; un **ángulo agudo** mide menos de 90°. Dos ángulos agudos son **complementarios** si sus medidas suman 90°.

Usa el diagrama de la derecha para responder las preguntas.

Cómo identificar puntos, líneas, planos y ángulos

A. Identifica cinco puntos en el diagrama.

¿Cuántas letras se usan para identificar un punto? ____

Identifica tres puntos. _____

_____

B. Identifica una línea en el diagrama.

¿Cuántos puntos se necesitan para identificar una línea?

_____

Identifica una línea en el diagrama. _____

_____

C. Identifica un plano en el diagrama.

¿Cuántos puntos se necesitan para identificar un plano? _____

¿Qué figura forman tres puntos en un plano? _____

Identifica un plano. _____

Vocabulario

ángulo

ángulos complementarios

ángulo obtuso

ángulo recto

ángulo agudo

Cómo clasificar ángulos

A. Identifica un ángulo recto en el diagrama.

¿Cuántos grados hay en un ángulo recto?

_____

Identifica un ángulo recto. _____

C. Identifica dos ángulos obtusos en el diagrama.

Un ángulo obtuso mide más de _____

pero menos de _____.

Señala dos ángulos obtusos.

_____

B. Identifica dos ángulos agudos en el diagrama.

¿Cuánto mide un ángulo agudo?

_____

Identifica dos ángulos agudos.

_____

D. Identifica un par de ángulos complementarios en el diagrama.

Dos ángulos complementarios siempre

suman _____.

Señala dos ángulos complementarios.

_____

Holt Pre-Álgebra

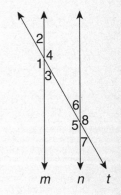

Guía interactiva de estudio

LECCIÓN 5-2 *Líneas paralelas y perpendiculares*

Las **líneas paralelas** son dos líneas en un plano que nunca se tocan. Las **líneas perpendiculares** se intersectan en un ángulo de 90°. Una línea que intersecta dos o más líneas es una **transversal.**

Vocabulario

líneas paralelas

líneas
  perpendiculares

transversal

Cómo identificar ángulos congruentes formados por una transversal

Las líneas *m* y *n* son paralelas. Usa un transportador para medir los ángulos formados por la intersección de la transversal y las líneas paralelas. ¿Qué ángulos parecen congruentes?

Halla la medida de:

∠1 _____   ∠2 _____   ∠3 _____   ∠4 _____

∠5 _____   ∠6 _____   ∠7 _____   ∠8 _____

¿Qué ángulos son congruentes con ∠2? _____ _____ y _____

¿Qué ángulos son congruentes con ∠1? _____ _____ y _____

Cómo hallar las medidas de los ángulos formados por líneas paralelas cortadas por una transversal

En la figura, la línea *p* ‖ la línea *q*. Halla la medida de cada ángulo.

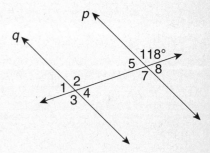

A. ∠7

¿Qué tipo de ángulo es ∠7? _____

¿Cuánto mide el ángulo opuesto a ∠7? _____

Cuando dos paralelas son cortadas por una transversal,

los ángulos obtusos que se forman son _____.

Por lo tanto, m∠7 = _____.

B. ∠5

¿Cuántos grados suman dos ángulos suplementarios? _____

∠5 es _____ con 118°.

Cuando dos paralelas son cortadas por una transversal, cualquier

ángulo _____ que se forme es suplementario a cualquier ángulo _____.

m∠5 + 118° = _____   Escribe una ecuación para hallar m∠5.

  −118°   −118°   Resta.

m∠5   = _____

Holt Pre-Álgebra

Nombre _____ Fecha _____ Clase _____

Guía interactiva de estudio
Triángulos

Las medidas de los ángulos de cualquier triángulo sobre un plano siempre suman 180°.

Cómo hallar la medida de los ángulos en triángulos acutángulos y triángulos rectángulos

A. Halla *x* en el triángulo acutángulo.

¿Cuánto suman los ángulos de un triángulo acutángulo? _____

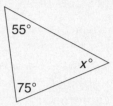

$55° + 75° + x° =$ _____
$130° + x° = 180°$ Suma.

_____ _____   ¿Qué debes restar en ambos lados para despejar *x*?

$x° =$ _____   ¿Cuánto mide *x*?

B. Halla *y* en el triángulo rectángulo.

¿Cuánto mide un ángulo recto? _____

¿Cuánto suman los ángulos de un triángulo rectángulo? _____

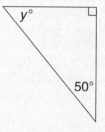

$50° +$ _____ $+ y° = 180°$
$140° + y° = 180°$ Suma

_____ _____   ¿Qué debes restar en cada lado?

$y° =$ _____   ¿Cuánto mide *y*?

Cómo hallar la medida de los ángulos en triángulos equiláteros, isósceles y escalenos

Halla las medidas de los ángulos en el triángulo isósceles.

Un triángulo isósceles tiene dos ángulos con

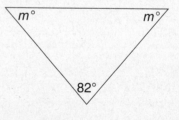

_____.

$82° +$ _____ $+$ _____ $= 180°$ Completa los datos.

$82° +$ _____ $= 180°$ Combina los términos semejantes.

_____   _____   Primero cancela la suma.

$2m° = 98°$

$\dfrac{2m°}{\_\_} = \dfrac{98°}{\_\_}$ Ahora cancela la multiplicación.

$m° =$ _____   ¿Cuánto mide *m*?

Holt Pre-Álgebra

LECCIÓN 5-4 Guía interactiva de estudio
Polígonos

Un **polígono** es una figura plana cerrada, formada por tres o más segmentos de recta. En un **polígono regular** todos los lados y ángulos tienen la misma medida. La suma de las medidas de los ángulos de un polígono es igual a 180° ($n - 2$).

Los cuadriláteros derivan su nombre de sus propiedades.

Trapecio: un par de lados paralelos
Rectángulo: 4 ángulos rectos
Rombo: 4 lados congruentes
Paralelogramo: 2 pares de lados paralelos
Cuadrado: 4 lados congruentes y 4 ángulos rectos

Vocabulario
paralelogramo
polígono
rectángulo
polígono regular
rombo
cuadrado
trapecio

Cómo hallar la suma de los ángulos de los polígonos

A. Halla la suma de los ángulos de un paralelogramo.

Traza una diagonal de una esquina a la esquina opuesta.

¿Cuántos triángulos se forman? _____

¿Cuántos grados suman los ángulos de un triángulo? _____

$2 \cdot 180° = $ _____

Los ángulos de un paralelogramo suman _____.

B. Halla la suma de los ángulos de un hexágono.

Divide la figura en triángulos.

¿Cuántos triángulos se forman? _____

_____ $\cdot 180° = $ _____

Los ángulos de un hexágono suman _____.

Cómo hallar la medida de cada ángulo en un polígono regular
Halla las medidas de los ángulos de un hexágono regular.
¿Qué afirmación es verdadera acerca de los lados y los ángulos de un polígono regular?

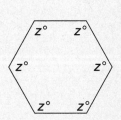

_____

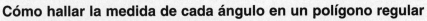

Usa la fórmula 180° ($n - 2$).

$6z° = 180°(\underline{} - 2)$ ¿Qué representa n?

$6z° = 180°(\underline{})$ Resta.

$6z° = $ _____   Multiplica.

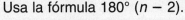

$\dfrac{6z°}{\underline{}} = \dfrac{720°}{\underline{}}$ Divide para despejar z.

$z° = $ _____   ¿Cuánto mide cada ángulo?

Holt Pre-Álgebra

LECCIÓN 5-5

Guía interactiva de estudio
Geometría de coordenadas

Vocabulario
distancia vertical
distancia horizontal
pendiente

La **pendiente** describe la inclinación de una línea.

Pendiente $= \dfrac{\text{cambio vertical}}{\text{cambio horizontal}} = \dfrac{\textbf{distancia vertical}}{\textbf{distancia horizontal}}$

Cómo hallar la pendiente de una línea
Determina si la pendiente de cada línea es positiva, negativa, sin valor (0) o indefinida.

A. $\overleftrightarrow{AB}$

¿Hacia dónde se inclina la pendiente, a la izquierda o a la derecha? _____

¿Cuál es el cambio vertical entre el punto A y el punto B? _____ ¿Cuál es el cambio horizontal entre el punto A y el punto B? _____

pendiente $\overleftrightarrow{AB} = \dfrac{\text{distancia vertical}}{\text{distancia horizontal}} = \dfrac{\quad}{2}$

La pendiente es _____.

B. $\overleftrightarrow{AD}$

La pendiente de una línea horizontal es _____.

C. $\overleftrightarrow{EF}$

La pendiente de una línea vertical es _____.

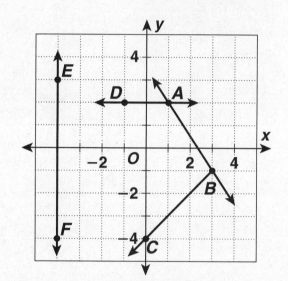

Cómo hallar líneas perpendiculares y paralelas
¿Qué líneas son paralelas? ¿Cuáles son perpendiculares?

En las líneas paralelas, las pendientes son _____.

En las líneas perpendiculares, el producto de las pendientes es _____.

Halla la pendiente de $\overleftrightarrow{ST}$. $\dfrac{\quad}{1} =$ _____

Halla la pendiente de $\overleftrightarrow{UV}$. $-\dfrac{2}{\quad}$

Halla la pendiente de $\overleftrightarrow{WX}$. $-\dfrac{\quad}{3}$ Halla la pendiente de $\overleftrightarrow{YZ}$. _____

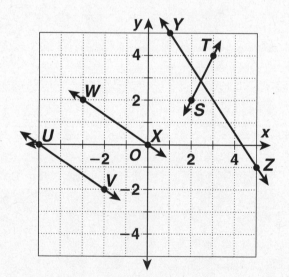

¿Qué líneas tienen pendientes iguales? _____

¿Son estas líneas paralelas o perpendiculares? _____

¿Cuál es el producto de las pendientes de YZ y UV? $-\dfrac{\quad}{3} \cdot \dfrac{-3}{\quad} =$ _____

¿Son estas líneas paralelas o perpendiculares? _____

Holt Pre-Álgebra

Guía interactiva de estudio

LECCIÓN 5-6 *Congruencia*

Dos figuras son congruentes si sus lados y ángulos correspondientes son congruentes. Al escribir enunciados de congruencia entre un par de polígonos, los vértices de la segunda figura se escriben en orden de **correspondencia** con los de la primera figura.

<table>
<tr><td>**Vocabulario**
correspondencia</td></tr>
</table>

Cómo escribir enunciados de congruencia
Escribe un enunciado de congruencia para el siguiente par de polígonos.

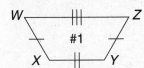 

En el polígono #2, ¿qué ángulo es congruente y ocupa la misma

posición que ∠W en el polígono #1? _____

En el polígono #2, ¿qué ángulo es congruente y ocupa la misma

posición que ∠X en el polígono #1? _____

Completa los siguientes enunciados.

∠Y ≅ ∠K, por lo tanto, _____ es correspondiente con ∠K.

∠Z ≅ _____, por lo tanto, ∠Z es correspondiente con _____.

Completa el enunciado: el trapecio *WZYX* ≅ el trapecio _____.

Cómo usar relaciones de congruencia para hallar los valores desconocidos
el pentágono *HIJKL* ≅ el pentágono *TPQRS*

A. Halla *m*.
¿Qué ángulo es correspondiente con ∠K? _____

¿Cuál es la medida de estos ángulos? _____

$5m = 100$ Escribe una ecuación para hallar *m*.

$\dfrac{5m}{\quad} = \dfrac{100}{\quad}$ Divide para despejar *m*.

$m =$ ___   Halla el valor de *m*.

B. Halla *n*.
¿A qué lado corresponde *n* + 10? ____

$n + 10 = 20$ Escribe una ecuación.

$-\underline{\quad} \quad -\underline{\quad}$ Cancela la suma.

$n =$ ___   Halla el valor de *n*.

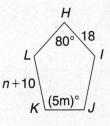

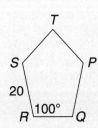

Holt Pre-Álgebra

LECCIÓN 5-7 Guía interactiva de estudio
Transformaciones

Existen tres tipos de **transformaciones:**

Traslación: deslizar una figura a lo largo de una línea sin girarla.

Rotación: girar una figura alrededor de un punto llamado **centro de rotación.**

Reflexión: voltear una figura a través de una línea para crear una imagen idéntica.

<table>
<tr><td>Vocabulario</td></tr>
<tr><td>centro de rotación</td></tr>
<tr><td>reflexión</td></tr>
<tr><td>rotación</td></tr>
<tr><td>transformación</td></tr>
<tr><td>traslación</td></tr>
</table>

Cómo identificar transformaciones

Identifica cada transformación como traslación, rotación, reflexión o ninguna de las anteriores.

A. ¿Qué punto es correspondiente con *A*? ____

¿Puedes girar la figura original para hacerla coincidir con

la nueva figura? ____

¿Puedes deslizar la figura original para hacerla coincidir con

la nueva figura? ____

¿Puedes dar vuelta a la figura original para hacerla coincidir

con la nueva figura? ____

¿Qué tipo de transformación se muestra? _____

La imagen de una traslación, rotación o reflexión es _____ con la figura original.

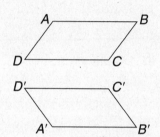

B. ¿Muestra el triángulo *ZXY* una rotación? ____

¿Qué transformación ocurrió del triángulo *ZXY* al

triángulo *Z'X'Y'*? _____

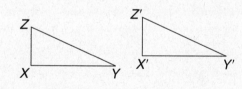

Cómo dibujar transformaciones

Dibuja la imagen de cada figura después de cada transformación.

A. Una rotación de 90° en el sentido de las manecillas del reloj alrededor del punto *D*

Traza la figura original.

¿En qué dirección avanzan las manecillas de un reloj, a la izquierda

o a la derecha? _____

Coloca tu lápiz en el punto *D* y gira 90° en sentido de las manecillas del reloj. Rotula los vértices.

B. Reflexión a través de $\overline{RS}$

¿Qué significa reflexión? _____

¿Sobre qué línea debes reflejar el triángulo? ____

Dibuja el triángulo. Rotula los vértices.

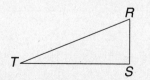

Holt Pre-Álgebra

LECCIÓN 5-8 Guía interactiva de estudio
Simetría

Una figura con **simetría axial** se puede dividir en dos imágenes idénticas si dibujas una línea que atraviese la figura. Esta línea recibe el nombre de **eje de simetría.**

Una figura con **simetría de rotación** se puede girar sobre un punto de forma que coincida consigo misma.

Vocabulario
simetría axial
eje de simetría
simetría de rotación

Cómo dibujar figuras con simetría axial
Completa cada figura. La línea punteada es el eje de simetría.

Si doblas una figura sobre su eje de simetría, ¿qué sucede con ambas mitades? _____ .

A. Dibuja la otra mitad de la figura.

B. Dibuja la otra mitad de la figura.

C. Completa la figura.

D. Completa la figura.

Cómo dibujar figuras con simetría de rotación
Completa la figura. El punto es el centro de rotación.

La rotación debe ser menor de _____ grados.

La simetría de rotación indica que puedes hacer girar la figura sobre

un punto, de forma que _____ consigo misma.

A. En una rotación triple una figura

coincidirá consigo misma cada _____ grados. Completa la figura.

B. En una rotación séxtupla una figura

coincidirá consigo misma cada _____ grados. Completa la figura.

LECCIÓN
5-9
Guía interactiva de estudio
Teselados

Un **teselado** es un patrón repetido de polígonos que cubren un plano sin dejar espacios vacíos.

Vocabulario
teselado

Ejemplo de un teselado

¿Es el patrón a la derecha un teselado? _____

¿Cómo lo sabes?_____

_____

_____

¿Qué figuras forman el patrón? _____

_____

Continúa el patrón con las mismas figuras.

Cómo crear un teselado

A. Haz un teselado con el paralelogramo *WXYZ*.

¿Pueden traslaparse los cuadriláteros en un teselado? _____
Haz un teselado con el cuadrilátero.

B. Usa el pentágono para demostrar por qué no es posible crear un teselado con pentágonos regulares.

No es posible crear un teselado porque hay _____ entre las figuras.

Holt Pre-Álgebra

Guía interactiva de estudio

LECCIÓN 6-1 *Perímetro y área de rectángulos y paralelogramos*

Para hallar el **perímetro** de una figura, suma las longitudes de todos sus lados.

Vocabulario
área
perímetro

Cómo hallar el perímetro de rectángulos y paralelogramos
Halla el perímetro de la figura.

$p = $ 2__ + 2__   Escribe la fórmula del perímetro de un rectángulo.

$p = 2\left(\underline{\quad}\right) + 2\left(\underline{\quad}\right)$ ¿Cuánto valen *b* y *h*?

$p = $ 32 + 24   Multiplica.

$p = $ ___   Suma.

El perímetro es ___ unidades.

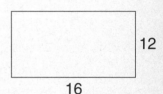

El **área** de un rectángulo o paralelogramo se halla al multiplicar la base por la altura, es decir, *bh*.

Cómo usar una gráfica para hallar el área de una figura
Traza la figura con los vértices que se dan a continuación.
Luego halla el área de la figura. $(-3, -2)$, $(1, -2)$, $(1, 1)$, $(-3, 1)$

Traza los puntos en la gráfica.

¿Cuál es la base? ___ ¿Cuál es la altura? ___

$A = $ ___   Escribe la fórmula del área.
$A = 4 \cdot 3$ Sustituye con la base y la altura.

$A = $ ___ unidades^2 Multiplica.

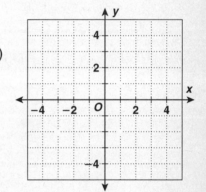

Cómo hallar el área y el perímetro de una figura compuesta
Halla el perímetro y el área de la figura.

¿Cómo hallas el perímetro? _____

Completa la fórmula.

$p = 15 + $ ____ $ + 7 + $ ____ $ + 5 + $ ____ $ + 3 + 8$

$p = $ ____ unidades

¿Cuántos rectángulos hay? ____

¿Cuál es la fórmula del área de un rectángulo? _____

$A = \left(15 \cdot \underline{\quad}\right) + \left(4 \cdot \underline{\quad}\right)$ Halla el área de cada rectángulo.

$A = 120 + $ ____   Multiplica.

$A = $ ____ unidades^2 Suma.

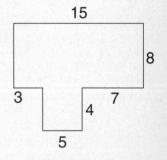

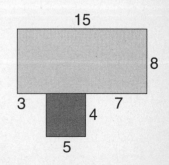

Holt Pre-Álgebra

Nombre _____ Fecha _____ Clase _____

Guía interactiva de estudio
Perímetro y área de triángulos y trapecios

Para hallar el perímetro de un triángulo o un trapecio, halla el total de la longitud de sus lados. Usa estas fórmulas para hallar el área.

Área del triángulo: $A = \frac{1}{2}bh$ Área del trapecio: $A = \frac{1}{2}h(b_1 + b_2)$

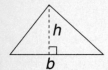   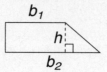

Cómo hallar perímetros de triángulos y trapecios
Halla el perímetro de cada figura.

A. Halla el perímetro del triángulo.

Escribe la definición de perímetro.

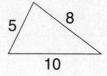

_____

$p = 5 +$ ___ $+$ ___   Completa la suma.

$p =$ ___ unidades   Suma. ¿Cuál es el perímetro?

B. Halla el perímetro del trapecio.

¿Cómo hallas el perímetro?

_____

$p = 8 +$ ___ $+ 15 +$ ___   Completa la suma.

$p =$ ___ unidades   Suma.

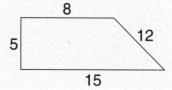

Cómo hallar el área de triángulos y trapecios
Traza y halla el área de cada figura con los vértices que se dan: $(-2, 1)$, $(1, 7)$, $(4, 1)$.

Traza y une los puntos $(-2, 1)$, $(1, 7)$ y $(4, 1)$.

¿Cuál es la base? ___ ¿Cuál es la altura? ___

$A =$ _____   ¿Cuál es la fórmula del área de un triángulo?

$A = \frac{1}{2} \cdot$ ___ $\cdot$ ___   Sustituye con los valores de b y h.

$A =$ ___ unidades^2 Multiplica.

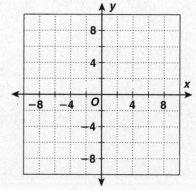

Holt Pre-Álgebra

Guía interactiva de estudio

LECCIÓN 6-3 El Teorema de Pitágoras

El **Teorema de Pitágoras:**

$a^2 + b^2 = c^2$

Vocabulario
Teorema de Pitágoras

Cómo hallar la longitud de la hipotenusa

Halla la longitud de la hipotenusa.

_____ $= c^2$ Escribe el Teorema de Pitágoras.

$2^2 + 2^2 = c^2$ Sustituye a con ___ y b con ___.

$4 + 4 = c^2$ Simplifica.

$\sqrt{8} = c$ ¿Cómo se despeja c?

_____

_____ $\approx c$ Usa una calculadora.

Cómo hallar la longitud de un cateto en un triángulo rectángulo

Halla el lado desconocido en el triángulo rectángulo.

$\_^2 + b^2 = \_^2$ Sustituye con los valores de a y c.

$36 + b^2 = 100$

$b^2 = \_\_$ Despeja la variable.

$b = \sqrt{64}$ Halla la raíz cuadrada de ambos lados.

$b = \_\_$ La longitud del cateto desconocido es ___.

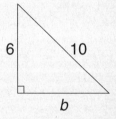

Cómo usar el Teorema de Pitágoras para hallar el área de un triángulo

Usa el Teorema de Pitágoras para hallar la altura de un triángulo. Luego usa la altura para hallar el área del triángulo.

_____ $= \_\_$ Escribe el Teorema de Pitágoras.

$a^2 + \_^2 = \_^2$ Sustituye con los valores de b y c.

$a^2 + 9 = 36$

$a^2 = 27$

$a = \sqrt{\_\_}$ Halla la raíz cuadrada de ambos lados.

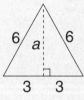

El valor de a es la altura del triángulo. Usa este valor para hallar el área.

$A = \_\_\_\_$ ¿Cuál es la fórmula del área de un triángulo?

$\_\_ = \frac{1}{2}\left(\quad\right)\left(\sqrt{\quad}\right)$ ¿Con qué valores sustituyes b

$= 3\left(\sqrt{27}\right) \approx \_\_\_\_$ Multiplica. Usa una calculadora.

El área del triángulo es _____ unidades cuadradas.

Holt Pre-Álgebra

Nombre _____ Fecha _____ Clase _____

Guía interactiva de estudio
Círculos

Un **círculo** es un conjunto de puntos en un plano localizados a una distancia fija de otro punto llamado **centro**.

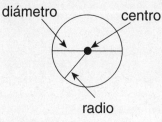

diámetro   centro

radio

Vocabulario
centro
círculo
circunferencia
diámetro
radio

La **circunferencia** es la distancia alrededor de un círculo: $C = \pi d$ o $C = 2\pi r$. La fórmula del área de un círculo es $A = \pi r^2$.

Cómo hallar la circunferencia de un círculo

Halla la circunferencia de cada círculo en términos de π y al décimo de unidad más cercano. Usa 3.14 como valor de π.

A. un círculo con un radio de 6 cm

$C =$ _____   Escribe la fórmula de la circunferencia del círculo si conoces el radio.

$C = 2\pi\left(\underline{}\right)$ ¿Con qué valor sustituyes r?

$C =$ ___π cm   Multiplica.

Si usas una calculadora, 12π es $\approx$ _____ cm.

¿Cómo escribes 37.68 redondeado al décimo más cercano? _____

B. un círculo con un diámetro de 2.5 pulg

$C =$ _____   Escribe la fórmula de la circunferencia si conoces el diámetro.

$C = \pi\left(\underline{}\right)$ Sustituye con el valor de d en la ecuación.
$C = 2.5\pi$ pulg   Multiplica.

$\approx$ _____ pulg   Usa una calculadora. Redondea al décimo más cercano.

Cómo hallar el área de un círculo.

Halla el área del círculo en términos de π y al décimo más cercano. Usa 3.14 como valor de π.

un círculo con un diámetro de 2.5 pulg
$A = \pi r^2$

$r = \dfrac{d}{2} = \dfrac{\overline{}}{2} =$ _____   ¿Cuál es la relación entre el radio y el diámetro de un círculo?

_____

$A = \pi\left(\underline{}^2\right)$ Sustituye con el valor de r en la fórmula.
$A \approx$ _____ pulg^2 ¿Cuál es el área, redondeada el décimo más cercano?

Holt Pre-Álgebra

Guía interactiva de estudio

Cómo dibujar figuras tridimensionales

En una figura tridimensional, una **cara** es una superficie plana; una **arista** es el punto donde dos caras se encuentran; y un **vértice** es el punto donde se unen tres o más aristas.

La **perspectiva** es una técnica que hace que los dibujos de objetos tridimensionales parezcan tener profundidad y distancia.

> **Vocabulario**
> arista
> cara
> perspectiva
> vértice

Cómo dibujar una caja rectangular

Usa los puntos isométricos al final de la página para dibujar una caja rectangular de 3 unidades de largo, 2 de profundidad y 4 de altura.

Paso 1: Dibuja las aristas de la cara inferior. Debe parecer un paralelogramo.

¿Cuántas unidades debe medir el largo? _____

¿Cuántas unidades debe medir el ancho? _____

¿Qué cuadrilátero resulta? _____

Paso 2: Dibuja los segmentos verticales.

¿Cuánto deben medir estos segmentos? _____

Paso 3: Para dibujar la cara superior, une las líneas verticales y forma un paralelogramo.

¿Cuántas unidades mide la figura de largo? _____

¿Cuántas unidades mide la figura de ancho? _____

Paso 4: Remarca las líneas. Usa líneas continuas para las aristas visibles y líneas punteadas para las aristas que no se ven.

Holt Pre-Álgebra

Nombre _____ Fecha _____ Clase _____

Guía interactiva de estudio
Volumen de prismas y cilindros

Un **prisma** es una figura tridimensional cuyo nombre se deriva de la forma de su base. El volumen de un sólido es el número de unidades cúbicas necesarias para llenarlo. Usa estas fórmulas para hallar el volumen.

Prisma: $V = Bh$ Cilindro: $V = Bh = (\pi r^2)h$

Vocabulario
cilindro
prisma
prisma rectangular
prisma triangular

Cómo hallar el volumen redondeado al décimo de unidad más cercano.

A. Un prisma rectangular con 2 m por 4 m de base y 8 m de altura.

¿Qué forma tiene la base? _____

¿Cómo hallas el área de un rectángulo?

_____

$B = 2 \cdot 4 =$ ___ m^2 Halla el área de la base.

$V =$ _____   ¿Cuál es la fórmula del volumen de un prisma?

$V = 8 \cdot$ ___   Sustituye con los valores conocidos en la fórmula.

$V =$ ___ m^3 ¿Cuál es el volumen?

B. ¿Qué forma tiene la base del cilindro? _____

¿Cómo hallas el área de la base? _____

¿Cuánto mide el radio? _____

$B = \pi(6^2)$ Halla el área de la base.

$B =$ _____ m^2

$V =$ _____   Escribe la fórmula del volumen de un cilindro.

$V =$ _____ $\cdot$ _____   ¿Con qué valores sustituyes B y h?

$V =$ _____ π Multiplica.

$V \approx$ _____ m^3 Multiplica.

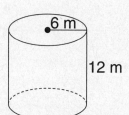

C. ¿Qué forma tiene la base de esta figura? _____

¿Cómo hallas el área de un triángulo? _____

$B = \dfrac{1}{2} \cdot$ _____ $=$ ___ pies^2 ¿Cuál es el área de la base?

¿Cuál es la fórmula del volumen de un prisma? _____

¿Con qué valores sustituyes B y h? _____

$V = Bh$ Halla el volumen del prisma.

$V =$ ___ $\cdot$ ___

$V =$ _____ pies^3

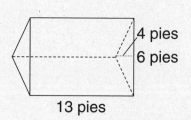

Holt Pre-Álgebra

LECCIÓN 6-7 Guía interactiva de estudio
Volumen de pirámides y conos

Una **pirámide** recibe su nombre por la forma de su base. Un **cono** siempre tiene una base circular. La altura de una pirámide o cono es la distancia desde su punto más alto hasta la base, siguiendo una línea perpendicular. Usa estas fórmulas para calcular volumen.

Vocabulario
cono
pirámide

Pirámide: $V = \frac{1}{3}Bh$ Cono: $V = \frac{1}{3}\pi r^2 h$

Cómo hallar el volumen de pirámides y conos
Halla el volumen.

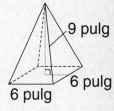

A. ¿Qué forma tiene la base de la figura? _____

¿Cómo hallas el área de la base?

_____

$B = 6 \cdot 6 = 36$ pulg^2

$V = \frac{1}{3}Bh$ En la fórmula del volumen, ¿qué representa la letra h?

_____

¿Qué representa la letra B? _____

$V = \frac{1}{3}(_____)$ ¿Con qué valores sustituyes B y h?

$V = \_\_\_\_$ pulg^3 ¿Cuál es el volumen de la pirámide?

B. ¿Qué figura se muestra a la derecha? _____

¿Qué forma tiene su base? _____

¿Cómo hallas el área de la base? _____

Halla el área de la base. $A = \pi\_\_\_^2 = \_\_\_\pi$ pies^2

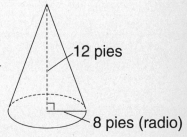

¿Cuál es la fórmula del volumen de un cono? _____

Sustituye B y h. $V = \frac{1}{3}\left(\_\_\_\pi \cdot \_\_\_\right)$

$V = \_\_\_\_\pi$ Usa 3.14 como valor de π.

$V = _____$ pies^3 Multiplica.

Holt Pre-Álgebra

Nombre_____ Fecha_____ Clase _____

Guía interactiva de estudio
Área total de prismas y cilindros

El **área total**, S, es la suma del área de todas las caras de una figura.
Prisma: $S = 2B + F$
Cilindro: $S = 2\pi r^2 + 2\pi rh$

Vocabulario
cara lateral
superficie lateral
área total

Cómo hallar el área total
Halla el área total de la figura.

A. ¿Qué forma tiene la figura? _____

¿Cuál es la fórmula del área total de un cilindro?

$S = $ _____ + _____

¿Cuál es el radio de la figura? _____

¿Cuál es la altura de la figura? _____

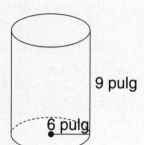

9 pulg

6 pulg

$S = 2\pi r^2 + 2\pi rh$

$S = 2\pi\left(\underline{\ \ \ }\right)^2 + 2\pi\left(\underline{\ \ \ }\right)\left(\underline{\ \ \ }\right)$ Sustituye con los valores de r y h.

$S = 2\pi\left(\underline{\ \ \ }\right) + 2\pi\left(\underline{\ \ \ }\right)$ Sigue el orden de las operaciones.

$S = \underline{\ \ \ }\pi + 108\pi$ Multiplica.

$S = \underline{\ \ \ }\pi$ Suma.

Si usas 3.14 como valor de π, el área total de la figura es aproximadamente _____ pulg^2.

B. ¿Qué forma tiene la figura? _____

¿Qué forma tienen las bases? _____
¿Qué forma tienen las **caras laterales** (los paralelogramos que

se unen con las bases)? _____

¿Cómo hallas el área de la base? _____

$S = 2B + ph$

5 cm   5 cm

16 cm

4 cm   5 cm

6 cm

¿Qué representa el número 2 en esta

fórmula? _____

En la fórmula, p representa el

_____ y h representa la

_____.

$S = 2B + ph$

$S = 2\left(\dfrac{1}{2} \cdot 6 \cdot 4\right) + \left(\underline{\ \ \ }\right)(16)$ Sustituye los valores en la fórmula.

$S = 2\left(\underline{\ \ \ }\right) + \underline{\ \ \ }$ Multiplica.

$S = \underline{\ \ \ } + \underline{\ \ \ }$ Multiplica.

$S = \underline{\ \ \ }$ cm^2 Suma.

Holt Pre-Álgebra

Guía interactiva de estudio

LECCIÓN 6-9 *Área total de pirámides y conos*

La **altura inclinada** de una pirámide o cono se mide sobre la superficie lateral. Una **pirámide regular** tiene un polígono regular como base y sus caras laterales son congruentes. Usa estas fórmulas para hallar el área total.

Vocabulario
pirámide regular
cono recto
altura inclinada

Pirámide: $S = B + \frac{1}{2}p\ell$ Cono: $S = \pi r^2 + \pi r\ell$

Cómo hallar el área total
Halla el área total.

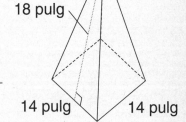

A. ¿Cómo se llama la figura? _____

En la fórmula $S = B + \frac{1}{2}p\ell$, B representa el _____ de la base.

¿Cómo hallas el área de la base?

_____

¿Cómo hallas el perímetro de la base?

_____

¿Cuál es la altura inclinada, ℓ, de la pirámide? _____

18 pulg

14 pulg   14 pulg

$S = \underline{\ \ } + \frac{1}{2}\underline{\ \ }$ Escribe la fórmula del área total.

$S = \left(14 \cdot \underline{\ \ }\right) + \frac{1}{2}\left(\underline{\ \ }\right)(18)$ Sustituye con los valores conocidos.

$S = \left(\underline{\ \ \ \ }\right)\left(\underline{\ \ \ \ }\right)$ Multiplica.

$S = \underline{\ \ \ \ \ \ }$ pulg^2 Multiplica.

B. ¿Cómo se llama la figura? _____

En la fórmula $S = \pi r^2 + \pi r\ell$, ¿qué representa la letra r? _____

¿Cuál es la altura inclinada? _____

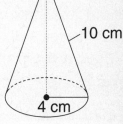

10 cm

4 cm

$S = \underline{\ \ \ \ } + \pi r\ell$ Escribe la fórmula.

$S = \pi\left(\underline{\ \ }\right)^2 + \pi\left(\underline{\ \ }\right)\left(\underline{\ \ }\right)$ Sustituye los valores en la fórmula.

$S = \underline{\ \ }\pi + \underline{\ \ }\pi$ Multiplica.

$S = \underline{\ \ \ \ }$ Suma.

$S \approx \underline{\ \ \ \ \ \ }$ cm^2 Usa 3.14 como valor de π.

Holt Pre-Álgebra

_____ Fecha _____ Clase _____

LECCIÓN **Guía interactiva de estudio**
6-10 *Esferas*

Una **esfera** es un conjunto de puntos tridimensionales que están
a la misma distancia de otro punto.

Vocabulario
círculo máximo
hemisferio
esfera

Fórmula del volumen

$$V = \frac{4}{3}\pi r^3$$

Fórmula del área total

$$S = 4\pi r^2$$

Cómo hallar el volumen de una esfera

Halla el volumen de una esfera con un radio de 2 pies, en términos
de π y al décimo de unidad más cercano.

¿Cuál es la fórmula del volumen de una esfera? $V =$ _____

¿Con qué valor sustituyes r? $V = \left(\frac{4}{3}\right)\pi\left(\underline{}\right)^3$

Simplifica la potencia. $V = \frac{4}{3}\pi\underline{}$

Multiplica. $V = \frac{\overline{}}{3}\pi$

Usa 3.14 como valor de π. $V \approx$ _____ pies^3

El volumen de una esfera con un radio de 2 pies es _____.

El área total de una esfera es 4 veces el área de un **círculo máximo.**
Un **círculo máximo** es la arista de un **hemisferio.** Un hemisferio es
la mitad de una esfera.

Cómo hallar el área total de una esfera

Halla el área total de la esfera en términos de π y al décimo más
cercano.

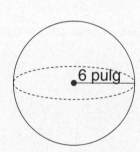

6 pulg

$S =$ _____   Escribe la fórmula del área total de una esfera.

$S = 4\pi\left(\underline{}\right)^2$ ¿Con qué valor sustituyes r?

$S = 4\pi\left(\underline{}\right)$ Simplifica la potencia.

$S =$ ____ π Multiplica.

$S \approx$ _____ pulg^2 Usa 3.14 como valor de π.

El área total de una esfera con un radio de 6 pulg es _____.

Holt Pre-Álgebra

Guía interactiva de estudio

LECCIÓN 7-1 *Razones y proporciones*

Una **razón** es una comparación entre dos cantidades mediante una división. Las razones equivalentes son aquellas que hacen la misma comparación. Una **proporción** está formada por razones equivalentes.

Vocabulario
razón equivalente
proporción
razón

Cómo encontrar razones equivalentes

Encuentra dos razones que sean equivalentes a la razón de $\frac{4}{6}$.

$\frac{4}{6} = \frac{4 \cdot 2}{6 \cdot \underline{}}$ Si multiplicas el numerador por 2, ¿por qué número debes multiplicar el denominador?

$= \underline{}$ ¿Cuál es la nueva fracción?

$\frac{4}{6} = \frac{4 \div 2}{6 \div \underline{}}$ Si divides el numerador entre 2, también

debes dividir el _____ entre 2.

$= \underline{}$ ¿Cuál es la nueva fracción?

Las dos razones equivalentes a $\frac{4}{6}$ son ____ y ____ .

Cómo determinar si dos razones forman una proporción

Simplifica e indica si las razones forman una proporción.

A. $\frac{20}{45}$ y $\frac{8}{18}$

$\frac{20}{45}$ $\frac{8}{18}$

$\frac{20 \div \underline{}}{45 \div \underline{}}$ Divide el numerador y el denominador entre el MCD. $\frac{8 \underline{}}{18 \underline{}}$

$= \underline{}$ ¿Cuál es la fracción simplificada? $= \underline{}$

$\frac{4}{9} \; \square \; \frac{4}{9}$ ¿Son equivalentes las fracciones? ____   ¿Forman una proporción? ____

B. $\frac{16}{20}$ y $\frac{10}{15}$

$\frac{16}{20}$ simplificada = ____ $\frac{10}{15}$ simplificada = ____

¿Son equivalentes las fracciones? ____   ¿Forman una proporción? ____

Holt Pre-Álgebra

Nombre _____ Fecha _____ Clase _____

Guía interactiva de estudio
Razones, relaciones y relaciones unitarias

Una **relación** compara dos cantidades expresadas con unidades diferentes. Las **relaciones unitarias** son razones simplificadas en donde la segunda cantidad es uno. El **precio unitario** es una relación unitaria que compara el costo de los artículos.

Vocabulario
relación
precio unitario
relación unitaria

Aplicación

El Ford Mustang modelo 1996 mide 20 pies de largo y 6 pies de anchura. Halla la razón de su longitud a su anchura en su mínima expresión.

¿Cuál es la longitud del auto? _____   ¿Cuál es la anchura del auto? _____

¿Cuál es la relación $\frac{\text{longitud}}{\text{anchura}}$? ____   ¿Cuál es la razón en su mínima expresión? ____

Cómo usar una gráfica de barras para determinar relaciones

La gráfica muestra el número de nacimientos en tres estados durante 1999. Usa la gráfica para hallar el número de nacimientos diarios por estado, redondeado al número cabal más cercano.

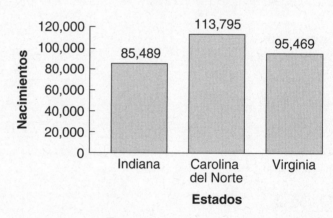

Nacimientos en 1999

Indiana = $\frac{\rule{2cm}{0.4pt}}{365 \text{ días}}$ = $\frac{\rule{1cm}{0.4pt}}{1 \text{ día}}$

Carolina del Norte = $\frac{\rule{2cm}{0.4pt}}{365 \text{ días}}$ = $\frac{\rule{1cm}{0.4pt}}{1 \text{ día}}$

Virginia = $\frac{\rule{2cm}{0.4pt}}{365 \text{ días}}$ = $\frac{\rule{1cm}{0.4pt}}{1 \text{ día}}$

¿Cuál de los tres estados tiene la tasa de nacimientos más alta? _____

Cómo hallar precios unitarios para comparar costos

Una caja de cereal de 14 onzas cuesta $3.29; una caja de 20 onzas cuesta $4.19. ¿Cuál es la mejor opción de compra?

Para hallar la relación unitaria, divide el _____ entre el _____.

$\frac{\text{precio de la caja \#1}}{\text{peso en onzas}}$ = $\frac{}{\rule{1.5cm}{0.4pt}}$ ≈ _____ $\frac{\text{precio de la caja \#2}}{\text{peso en onzas}}$ = $\frac{}{\rule{1.5cm}{0.4pt}}$ ≈ _____

¿Por cuál de las dos cajas pagarías menos por cada onza? _____

¿La mejor opción de compra es la caja chica o la caja grande? _____

Holt Pre-Álgebra

Guía interactiva de estudio

LECCIÓN 7-3 *Algo para saber: Cómo analizar unidades*

Para convertir unidades, multiplícalas por una o más razones de cantidades equivalentes llamadas **factores de conversión.** Multiplicar un valor por un factor de conversión es igual que multiplicarlo por una fracción que es equivalente a uno.

Vocabulario
factor de
conversión

Cómo hallar factores de conversión
Halla el factor de conversión adecuado para cada conversión.

A. minutos en horas

¿Cuántos minutos hay en una hora? _____

Para convertir minutos en horas, multiplica los minutos por $\dfrac{1 \text{ hora}}{\rule{2cm}{0.4pt}}$.

B. litros en mililitros

¿Cuántos mililitros hay en un litro? _____

Para convertir litros en mililitros, multiplica los litros por $\dfrac{\rule{2cm}{0.4pt}}{\rule{2cm}{0.4pt}}$.

Cómo usar factores de conversión para resolver problemas
Un cine vende un promedio de 18,000 onzas de palomitas de maíz al mes. Usa factores de conversión para hallar el número de libras de palomitas que vende el cine en un mes.

¿Cuántas onzas hay en una libra? _____

¿Cuál es el factor de conversión? _____

$\dfrac{18{,}000 \text{ oz}}{1 \text{ mes}} \cdot$ _____ Multiplica por el factor de conversión.

$= \dfrac{\rule{2cm}{0.4pt} \cdot 1 \text{ lb}}{1 \text{ mes} \cdot \rule{1cm}{0.4pt}}$ ¿Qué unidades se cancelan? _____

$=$ _____ Divide. ¿Qué unidades quedan?

El cine vende _____ de palomitas al mes.

Nombre _____ Fecha _____ Clase _____

Guía interactiva de estudio
Cómo resolver proporciones

Los **productos cruzados** de las proporciones son iguales. Si los
productos cruzados no son iguales, entonces las razones no forman
una proporción.

Vocabulario
productos cruzados

Cómo usar productos cruzados para identificar proporciones
Determina si las razones son proporcionales.

A. $\dfrac{10}{32} = \dfrac{8}{28}$

B. $\dfrac{15}{25} = \dfrac{6}{10}$

$\dfrac{10}{32} \diagup\!\!\!\diagdown \dfrac{8}{28}$ Halla los productos cruzados.

$\dfrac{15}{25} \diagup\!\!\!\diagdown \dfrac{6}{10}$ Halla los productos cruzados.

$10 \cdot 28 =$ _____

$32 \cdot 8 \ =$ _____

$15 \cdot 10 =$ _____

$25 \cdot 6 \ =$ _____

¿Son iguales los productos cruzados? _____

¿Son proporcionales las razones? _____

¿Son iguales los productos cruzados? _____

¿Son proporcionales las razones? _____

C. Una botella de fertilizante líquido contiene una parte de fertilizante y 16
partes de agua. ¿Una mezcla de 68 oz de agua y 4 oz de fertilizante es
proporcional a la razón que contiene la botella?

¿Cuál es la razón de agua a fertilizante que contiene

la botella?

_____

¿Cuál es la razón de agua a fertilizante que contiene la mezcla?

_____

$\dfrac{1}{16} = \dfrac{4}{68}$ ¿Cuáles son los productos cruzados? _____

¿Son iguales? _____

¿Es ésta una mezcla correcta del fertilizante? _____

Cómo resolver proporciones
Resuelve cada proporción.

A. $\dfrac{12}{20} = \dfrac{n}{25}$

B. $\dfrac{9}{x} = \dfrac{57}{19}$

¿Cuáles son los productos cruzados?

¿Cuáles son los productos cruzados?

_____

Divide para despejar *n*. $n =$ _____

_____

Divide para despejar *x*. $x =$ _____

Comprueba:

¿Es $\dfrac{12}{20} = \dfrac{15}{25}$? _____

Comprueba:

¿Es $\dfrac{9}{3} = \dfrac{57}{19}$? _____

Holt Pre-Álgebra

Nombre _____ Fecha _____ Clase _____

Guía interactiva de estudio
Dilataciones

Una **dilatación** es el aumento o reducción de una figura sin cambiar su forma. El **factor de escala** es el que determina cuánto aumenta o disminuye el tamaño de una figura. El **centro de dilatación** es un punto fijo que une cada par de vértices correspondientes.

Vocabulario
centro de dilatación
dilatación
factor de escala

Cómo identificar dilataciones
Indica si cada transformación es una dilatación.

A.

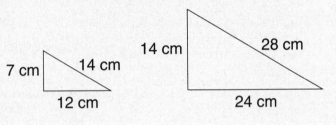

B.

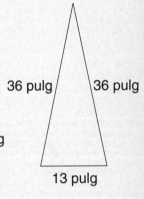

¿Es una dilatación? _____   ¿Es una dilatación? _____

Cómo usar el origen como centro de una dilatación
Haz una dilatación de la figura con un factor de escala de 1.5 y el punto P como centro de dilatación.

¿Por qué número debes multiplicar cada lado? _____

¿Cuál es la longitud del lado $A'B'$? _____

¿Cuál es la longitud del lado $B'C'$? _____

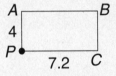

Cómo dilatar una figura
Haz una dilatación de la figura con el factor de escala de $\frac{3}{4}$.
¿Cuáles son las coordenadas de la imagen?

¿Por qué número debes multiplicar cada coordenada? _____

$\triangle ABC$ $\triangle A'B'C'$

$A(2, 6) \rightarrow A'\left(2 \cdot \dfrac{3}{4}, 6 \cdot \dfrac{3}{4}\right) \rightarrow A'$ _____

$B(4, 6) \rightarrow B'\left(4 \cdot \dfrac{3}{4}, 6 \cdot \dfrac{3}{4}\right) \rightarrow B'$ _____

$C(4, 8) \rightarrow C'\left(4 \cdot \dfrac{3}{4}, 8 \cdot \dfrac{3}{4}\right) \rightarrow C'$ _____

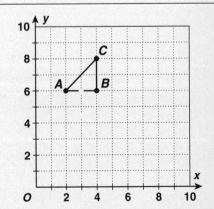

Traza la figura dilatada en el mismo plano cartesiano.

Holt Pre-Álgebra

Nombre _____ Fecha _____ Clase _____

Guía interactiva de estudio
Figuras semejantes

Las figuras congruentes tienen el mismo tamaño y forma, mientras que las figuras **semejantes** tienen el mismo tamaño pero no siempre la misma forma. En los polígonos semejantes, los ángulos correspondientes deben ser congruentes y las longitudes de los lados correspondientes deben formar razones equivalentes.

Vocabulario
semejantes

Cómo usar factores de escala para hallar las dimensiones que faltan

Se hace una reducción de una fotografía que mide 6 pulgadas por 4 pulgadas para colocarla en un portallaves. Si la longitud de la reducción de la foto es de 1.5 pulg, ¿cuál debe ser su anchura para que ambas fotografías sean semejantes?

¿Cuál es la longitud conocida de la reducción de la foto? _____

¿Cuál es la longitud correspondiente de la foto original? _____

_____   Divide la longitud conocida entre la longitud correspondiente.

Éste es el

6 pulg × _____ = _____   Multiplica la anchura de la fotografía original por el factor de escala.

¿Cuál es la anchura de la nueva fotografía? _____

Cómo usar razones equivalentes para hallar las dimensiones que faltan

Un arquitecto hace el plano de una casa. La casa mide 15 pulgadas de longitud y 6 de anchura en el plano. Si la longitud real es de 60 pies, ¿cuál es la anchura real?

¿Cuál es la longitud de la casa en el plano? _____

¿Cuál es la anchura de la casa en el plano? _____

¿Cuál es la longitud real de la casa? _____

¿Qué necesitas saber? _____

Escribe una proporción como se muestra.

$\dfrac{\text{longitud}}{\text{anchura}} = \dfrac{\text{longitud real}}{\text{anchura real}}$ _____

¿Cuáles son los productos cruzados? _____ • x pies = _____ • 6 pulg.

¿Están expresados en las mismas unidades ambos lados de la ecuación? _____ Cancela las unidades.

Multiplica cada lado.   _____ = _____

Divide para despejar x. $x =$ _____

¿Cuál es la anchura real de la casa? _____

Holt Pre-Álgebra

Guía interactiva de estudio

LECCIÓN 7-7 *Dibujos a escala*

Un **dibujo a escala** es un dibujo bidimensional que representa de manera precisa y es matemáticamente semejante a un objeto real. La **escala** determina la razón de las dimensiones del dibujo al objeto real. Cuando el dibujo a escala es más pequeño que el objeto real, se trata de una **reducción**.

Vocabulario
dibujo a escala
escala
reducción

Cómo usar proporciones para hallar escalas o longitudes

A. La longitud de un objeto en un dibujo a escala es de 3 pulg, pero su longitud real es de 18 pies. Si la proporción es de 1 pulg: _?_ pies, ¿cuál es la escala?

¿Cuál es la proporción si usas la $\dfrac{\text{longitud de escala}}{\text{longitud real}}$?   _____

¿Cuáles son los productos cruzados? $1 \cdot \underline{\ \ } = \underline{\ \ } \cdot 3$

Resuelve la proporción. $x = \underline{\ \ }$

¿Cuál es la escala? 1 pulg: ___ pies

B. La longitud de un objeto en un dibujo a escala es de 5.5 cm. Si la escala es 1 cm:3 m, ¿cuál es la longitud real del objeto?

¿Cuál es la proporción si usas la $\dfrac{\text{longitud de escala}}{\text{longitud real}}$?   _____

¿Cuáles son los productos cruzados? $\underline{\ \ } \cdot x = 5.5 \cdot \underline{\ \ }$

$x = \underline{\ \ \ \ \ \ }$

¿Cuál es la longitud real? _____

Cómo usar escalas y dibujos a escala para hallar alturas

A. Si en un dibujo con una escala de $\frac{1}{4}$ de pulgada una ventana mide 2.5 pulg de largo, ¿cuántos pies mide la ventana real?

Escribe la proporción usando la $\dfrac{\text{longitud de escala}}{\text{longitud real}}$.

_____

$\underline{\ \ \ \ } \cdot x = 1 \cdot \underline{\ \ \ \ }$ ¿Cuáles son los productos cruzados?

$x = \underline{\ \ \ \ }$ Despeja *x*.

¿Cuál es la longitud real de la ventana? _____

B. ¿Cuántos pies mediría la ventana si se usara una longitud de escala de $\frac{1}{2}$ pulgada?

Escribe la proporción usando la $\dfrac{\text{longitud de escala}}{\text{longitud real}}$.

_____

$x = \underline{\ \ \ \ }$ Multiplica los productos cruzados y halla el valor de *x*.

¿Cuál es la longitud real de la ventana? _____

Holt Pre-Álgebra

Guía interactiva de estudio
LECCIÓN 7-8 *Modelos a escala*

Un **modelo a escala** es un modelo tridimensional que representa con precisión un objeto sólido. La escala determina la razón de las dimensiones del modelo a las dimensiones reales.

Cómo analizar y clasificar factores de escala
Determina si la escala reduce, aumenta o conserva las dimensiones del objeto.

A. 1 pie:6 pulg

$$\frac{1 \text{ pie}}{6 \text{ pulg}} = \frac{\phantom{6 \text{ pulg}}}{6 \text{ pulg}} = \underline{}$$ Convierte 1 pie en pulgadas. Simplifica.

¿La escala reduce, aumenta o conserva las dimensiones del objeto?

_____

¿Cuántas veces? ___

B. 10 mm:1 cm

$$\frac{10 \text{ mm}}{1 \text{ cm}} = \frac{\underline{}\text{cm}}{1 \text{ cm}} = \underline{}$$ ¿Cuántos mm hay en 1 cm? ___

¿La escala reduce, aumenta o conserva las dimensiones del objeto?

_____

¿Cómo lo sabes? _____.

C. 8 pies:3 yd

$$\frac{8 \text{ pies}}{3 \text{ yd}} = \frac{8 \text{ pies}}{\underline{}\text{pies}} = \underline{}$$ ¿Cuántos pies hay en 3 yardas? ___

¿La escala reduce, aumenta o conserva las dimensiones del objeto?

_____

¿Cuál es la escala?

_____

Cómo hallar factores de escala
¿Qué factor de escala relaciona el ala de 10 pulg de largo de un avión modelo con el ala real del avión Skyraider que mide 60 pies?

¿Cuál es la escala? _____

Escribe la escala como una razón y simplifícala.

$$\frac{10 \text{ pulg}}{60 \text{ pies}} = \frac{\underline{}\text{pulg}}{\underline{}\text{pies}} = \frac{\underline{}\text{pulg}}{\underline{}\text{pulg}}$$

¿Cuál es el factor de escala? _____

Holt Pre-Álgebra

Guía interactiva de estudio

LECCIÓN 7-9 *Cómo aplicar escalas a las figuras tridimensionales*

Al multiplicar las dimensiones lineales de un sólido por *n*, el área total que resulta es igual a n^2 y el volumen es igual a n^3.

Cómo aplicar escalas a modelos hechos con cubos

Se construyó un cubo de 3 cm con cubos más pequeños de 1 cm cada uno. Compara los siguientes valores.

A. la longitud de cada lado de los dos cubos

¿Cuál es la razón de los lados correspondientes? → $\dfrac{\underline{\quad}\,\text{cm}}{1\,\text{cm}}$ = ___

¿Cuántas veces más grandes son los lados del cubo grande que los del cubo pequeño? ___

B. el área total de los cubos

¿Cuántos lados tiene un cubo? ___

¿Cuántas dimensiones debes usar para calcular el área? ___

¿Cuál es la razón de las áreas correspondientes? $\dfrac{\underline{\quad}\,\text{cm}^2}{6\,\text{cm}^2}$ = ___

¿Cuántas veces mayor es el área total del cubo grande que la del cubo pequeño? ___

C. el volumen de los dos cubos

¿Cuántas dimensiones debes usar para calcular volumen? ___

¿Cuál es la razón de los volúmenes correspondientes? $\dfrac{\underline{\quad}\,\text{cm}^3}{1\,\text{cm}^3}$ = ___

¿Cuántas veces mayor es el volumen del cubo grande que el del cubo pequeño? ___

Aplicación

Las dimensiones de una piscina son 40 pies de longitud, 15 pies de anchura y 6 pies de profundidad. Si la piscina se llena a una relación de 16 pies cúbicos por minuto, ¿en cuánto tiempo se llenará la piscina?

$V = 40$ pies • 15 pies • 6 pies = _____   ¿Cuál es el volumen de la piscina?

$\dfrac{1\ \text{min}}{16\ \text{pies}^3} = \dfrac{x}{\underline{\quad}\ \text{pies}^3}$ Escribe una proporción.

1 min (_____) = _____x Multiplica los productos cruzados.

$x =$ _____   Halla el valor de *x*.

¿En cuánto tiempo se llenará la piscina? _____

Holt Pre-Álgebra

Nombre _____ Fecha _____ Clase _____

Guía interactiva de estudio

Cómo relacionar decimales, fracciones y porcentajes

Los **porcentajes** son razones que se usan para comparar un número con 100.

Cómo hallar razones y porcentajes equivalentes
Halla la razón o porcentaje equivalente que falta para los incisos del *A* al *C* en la recta numérica.

5% $\frac{3}{8}$ 40%

A. 5%

$\dfrac{5}{\underline{}}$ Escribe el porcentaje como una fracción. ¿Cuál es el denominador?

_____   Divide el numerador y el denominador entre el MCD: _____.

B. $\frac{3}{8}$

___ ÷ ___ = _____   Divide el numerador entre el denominador.

_____ • _____ = _____   Multiplica el cociente por 100.

Escribe el signo de porcentaje. ¿Cuál es el porcentaje equivalente de $\frac{3}{8}$? _____

C. 40%

_____   Escribe como una fracción. ¿Cuál es el denominador? _____

_____   Divide el numerador y el denominador entre el MCD: _____

Cómo encontrar fracciones, decimales y porcentajes equivalentes
Completa la tabla con los valores que faltan.
Para convertir una fracción en un decimal:

Divide el _____ entre el _____.

Para convertir un decimal en un porcentaje:

_____ por 100 y escribe el signo de _____.

Para convertir un decimal en una fracción:

Escribe el número sobre _____ y simplifica.

Para convertir un porcentaje en un decimal:

_____ entre 100 y omite el signo de _____.

Fracción	Decimal	Porcentaje
$\frac{3}{5}$	$\underline{} \div \underline{} = \underline{}$	_____
$\overline{\overline{100}} = \underline{}$	0.45	_____
$\overline{\overline{100}} = \underline{}$	_____	32%

Holt Pre-Álgebra

Guía interactiva de estudio

LECCIÓN 8-2 *Cómo hallar porcentajes*

Cómo hallar qué porcentaje de un número es otro número

A. ¿Qué porcentaje de 180 es 54?

La palabra "de" indica que debes _____. La palabra "es" indica

que debes usar el signo _____.

p ___ 180 ___ 54   Escribe una ecuación para hallar el porcentaje.

$\dfrac{p \cdot 180}{180}$ ___ $\dfrac{54}{180}$ Para resolver la ecuación, _____ ambos lados entre 180.

$p =$ _____   Simplifica y convierte a porcentaje.

$=$ _____

54 es el _____ de 180.

B. El estado de Hawai tiene una superficie de 6425 millas cuadradas. La isla Hawai, también llamada la Gran Isla, tiene una superficie de 4035 millas cuadradas. Halla el porcentaje del estado de Hawai que ocupa la Gran Isla.

Escribe una proporción para hallar el porcentaje.
Responde: ¿4035 es a 6425 como 100 es a qué número?

$\dfrac{\text{número}}{100} = \dfrac{\text{parte}}{\text{todo}} \rightarrow$ Sustituye en la proporción. $\rightarrow \dfrac{n}{100} = \dfrac{4035}{6425}$

$n \cdot$ _____ $= 100 \cdot$ _____   Halla los productos cruzados.

$n =$ _____   Halla el valor de n.
$n = 62.8$

La Gran Isla ocupa el _____ del estado de Hawai.

Cómo hallar el porcentaje de un número

Una marca de helado contiene 11 gramos de grasa por porción. Esto es el 17% de la ingesta diaria recomendada para una persona. Encuentra la ingesta total recomendada de grasa, redondeada al gramo más cercano.

Escribe una ecuación para resolver el problema.
Razona: ¿De qué número es 11 el 17%?

_____ $\cdot n = 11$ Usa el decimal que es equivalente a 17%.

$n = \dfrac{11}{\_\_\_}$ _____ ambos lados entre _____.

$n =$ _____   Halla el valor de n.

La ingesta diaria recomendada de grasa es de aproximadamente _____ gramos.

Holt Pre-Álgebra

Nombre _____ Fecha _____ Clase _____

Guía interactiva de estudio
Cómo hallar un número cuando se conoce un porcentaje

Cuando conoces un porcentaje puedes usarlo para hallar el número que falta y resolver el problema.

Cómo hallar un número cuando se conoce un porcentaje
A. ¿De qué número es 56 el 40%?
Escribe una ecuación para resolver el problema.

La palabra "es" indica que debes usar el signo _____ y la palabra "de" indica que debes

_____.

Recuerda usar el decimal que es equivalente a 40%. Así, 40% = _____

$56 = 0.40 \cdot n$ Escribe la ecuación.

$\dfrac{56}{\rule{2em}{0.4pt}} = \dfrac{0.40n}{\rule{2em}{0.4pt}}$ Divide ambos lados entre _____ para despejar la variable.

_____ = n Halla el valor de n.

56 es el 40% de _____.

B. ¿De qué número es 12 el 60%?

Razona: ¿60 es a 100 como 12 es a qué número?

$\dfrac{60}{100} = \dfrac{\rule{1.5em}{0.4pt}}{\rule{1.5em}{0.4pt}}$ Escribe una proporción para resolver el problema.

$60 \cdot \rule{1.5em}{0.4pt} = 100 \cdot \rule{1.5em}{0.4pt}$ Encuentra los productos cruzados.

$60n = 1200$ Simplifica y resuelve la ecuación.

$\dfrac{60n}{\rule{1.5em}{0.4pt}} = \dfrac{1200}{\rule{1.5em}{0.4pt}}$ Divide ambos lados entre ___ para despejar n.

$n = \rule{1.5em}{0.4pt}$

12 es el 60% de ___.

Aplicación
Un CD-ROM tiene una capacidad de almacenamiento de 673 megabytes. Esto representa el 269% de la capacidad de un disco "zip". Halla la capacidad de un disco "zip", redondeada al megabyte más cercano.

Razona: ¿De qué número es 673 el 269%?

¿Qué representa la palabra "es"? _____   Escribe 269% como un decimal. _____

_____ = _____ $\cdot n$ Escribe la ecuación

$\dfrac{673}{\rule{2em}{0.4pt}} = \dfrac{2.69n}{\rule{2em}{0.4pt}}$ Despeja n.

_____ = n Divide.

La capacidad de almacenamiento de un disco "zip" es de _____ megabytes.

Holt Pre-Álgebra

Nombre _____ Fecha _____ Clase _____

Guía interactiva de estudio
Porcentaje de aumento y disminución

Cómo hallar el porcentaje de aumento o disminución

Halla el porcentaje de aumento o disminución de 65 a 50, redondeado al porcentaje más cercano.

Como el número se reduce, es un porcentaje de _____.

$65 - 50 =$ _____   Halla la cantidad de cambio de los dos números.

$15 = p \cdot 65$ Escribe una ecuación. *Razona: ¿Qué porcentaje de 65 es 15?*

$\dfrac{15}{\underline{\quad}} = \dfrac{p \cdot 65}{\underline{\quad}}$ Para hallar el valor de p, divide ambos lados entre _____.

_____ $= p$ Halla el valor de p.

¿Cuál es el porcentaje equivalente? _____

Por lo tanto, de 65 a 50 hay un _____% de disminución.

Aplicación para hallar un porcentaje de cambio

Javier obtuvo una calificación de 72 y otra de 85 en sus últimos dos exámenes de matemáticas. ¿Cuál es el porcentaje de incremento en sus calificaciones?

$85 - 72 =$ _____   Halla la cantidad de cambio entre las dos calificaciones.

_____ $= p \cdot$ _____   Escribe una ecuación. *Razona: ¿Qué porcentaje de 72 es 13?*

_____ $= \dfrac{p \cdot \underline{\quad}}{\underline{\quad}}$ Divide ambos lados entre _____ para hallar el valor de p.

_____ $= p$ Halla el valor de p.

¿Cómo conviertes un decimal en un porcentaje? _____

_____

Escribe 0.18 como un porcentaje. _____

Javier tuvo un _____% de incremento en sus calificaciones.

Cómo usar el porcentaje de aumento o disminución para hallar precios

Al comprar una colección de discos compactos con un precio de $60, Kaylee recibió un 15% de descuento. ¿Cuánto pagó Kaylee por la colección de discos?

Como Kaylee recibió un descuento, se trata de un porcentaje de _____.

$d =$ _____ $\cdot 60 =$ _____   Halla el 15% del precio original para determinar el descuento.

60 _____ $9 =$ _____   _____ el descuento del precio original.

Kaylee pagó _____ por la colección de discos.

Holt Pre-Álgebra

Nombre _____ Fecha _____ Clase _____

Guía interactiva de estudio
Cómo estimar porcentajes

Cuando un problema no requiere de una respuesta exacta para resolverlo, puedes usar una **estimación.** Para hacer estimaciones con porcentajes, usa **números compatibles.**

Vocabulario
números compatibles
estimación

Cómo estimar con porcentajes
Estima.

A. el 48% de 64

¿Qué números compatibles puedes usar en lugar de 48% ó $\frac{48}{100}$?

$\frac{48}{100} \approx$ ____ y ____ $= \frac{1}{2}$

Usa los números compatibles para hacer la estimación.

$\frac{1}{2} \cdot 64 =$ _____   Recuerda que multiplicar por $\frac{1}{2}$ es igual que _____ entre 2.

El 48% de 64 es aproximadamente _____.

B. el 16% de 856
¿A qué porcentaje puedes redondear 16% para facilitar la operación? _____

Recuerda que _____ = 10% + _____.

15% • 856 = (_____) • 856   Sustituye para simplificar.

= _____ 856 + _____ 856   Usa la propiedad _____.

= ____ + ____

= ____

El 16% de 856 es aproximadamente _____.

Aplicación
Texas es el segundo estado más grande de Estados Unidos. Su superficie es el 43% de la de Alaska, el estado más grande. Si la superficie de Alaska es 615,230 millas cuadradas, ¿cuál es la superficie aproximada de Texas?

Redondea para facilitar la estimación.

Redondea 43% a _____.

Redondea 615,230 millas cuadradas a _____.

Razona: ¿Qué número es el 40% de 600,000?

$n =$ _____   Escribe una ecuación.

$n =$ _____   Multiplica.

La superficie de Texas es de aproximadamente _____.

Holt Pre-Álgebra

Guía interactiva de estudio

LECCIÓN 8-6 *Uso de los porcentajes*

Cómo multiplicar por porcentajes para hallar comisiones

Un vendedor de una tienda de electrónicos recibe 2% de comisión por sus ventas. Si vende un televisor de pantalla gigante en $945 y un par de bocinas en $580, ¿qué comisión obtiene el vendedor?

Halla la venta total. $945 + _____ = _____

Escribe la tasa de comisión como un porcentaje y como un decimal. _____

Razona: tasa de comisión • ventas = comisión

_____ 1525 = c   Escribe una ecuación.

_____ = c   Multiplica.

La comisión que obtiene el vendedor es de _____.

Cómo multiplicar por porcentajes para hallar el impuesto de venta

Si el impuesto de venta es de 6.5%, ¿cuánto pagará Ariel por una falda de $28.70 y una blusa de $16.98?

Halla la venta total. _____

Escribe el impuesto de venta como un porcentaje y como un decimal. _____

Razona: impuesto de venta • venta total = impuesto

_____ 45.68 = t   Escribe una ecuación.

_____ = t   Multiplica.

_____ ≈ t   Redondea al centavo más cercano.

Ariel pagará _____ como impuesto de venta.

Cómo usar proporciones para hallar el porcentaje de impuesto retenido

Seth gana $6600 al mes, pero tiene un impuesto retenido de $792. ¿Qué porcentaje del salario de Seth es el impuesto retenido?

Razona: ¿Qué porcentaje de $6600 es $792?
Supongamos que p es el porcentaje desconocido.

p • _____ = _____   Escribe una ecuación.

$p = \dfrac{792}{\underline{\quad\quad}}$ Divide para despejar p.

$p =$ _____   Halla el valor de p.

¿Cómo conviertes un decimal en un porcentaje? _____

_____

El impuesto retenido es el _____ del salario de Seth.

Holt Pre-Álgebra

Guía interactiva de estudio

Otros usos de los porcentajes

El **interés simple** es el pago que se hace por el uso del dinero. En la fórmula $I = crt$, la cual se usa para calcular el interés, c es el **capital**, r es la **tasa de interés** (o rédito) y t es el tiempo.

Vocabulario
interés
capital
tasa de interés
interés simple

Cómo hallar el interés y el monto total de un préstamo

Maryanne solicitó al banco un préstamo de $32,000 para remodelar su casa y piensa pagarlo en 7 años. El banco presta dinero a una tasa de interés simple del 7.5%.

A. ¿Cuánto pagará Maryanne de interés si liquida su préstamo en 7 años?

¿Cuál es el capital? _____

Escribe la tasa de interés como un decimal. _____

¿Cuál es el plazo del préstamo? _____

$I = c \cdot r \cdot t$ Usa la fórmula.

$I =$ _____ $\cdot$ _____ $\cdot$ _____   Sustituye con los valores conocidos.

$I =$ _____   Multiplica.

Maryanne pagará _____ como interés del préstamo.

B. ¿Cuál es la cantidad total de dinero (A) que pagará Maryanne al banco?

Usa la fórmula: $c + I = A$
Sustituye el valor del capital, c, del problema original y el valor del interés, I, del ejercicio A.

_____ + _____ $= A$

_____ $= A$

Maryanne pagará al banco un total de _____.

Cómo hallar la tasa de interés

Para comprar un auto, Martin solicitó un préstamo de $6500 que piensa pagar en 4 años. Si pagó al banco un total de $7865, ¿cuál es la tasa de interés simple del préstamo?

$c + I = A$

_____ + $I =$ _____   ¿Cuál es el monto del interés?

$I =$ _____   Halla el valor de I.

_____ $=$ _____ $\cdot r \cdot 4$ Sustituye con los valores conocidos en la fórmula $I = crt$.

_____ $=$ _____ $\cdot r$ Multiplica.

_____ $= r$ Halla el valor de r.

Martin solicitó el préstamo con una tasa de interés anual del _____%.

Holt Pre-Álgebra

Nombre _____ Fecha _____ Clase _____

Guía interactiva de estudio

LECCIÓN 9-1 *Probabilidad*

La **probabilidad** de que ocurra un **suceso** es un número entre 0 y 1 que indica cuán probable es un suceso.

Vocabulario
probabilidad
suceso

Cómo hallar la probabilidad de los resultados en un espacio muestral

Indica la probabilidad de cada resultado.

A. ¿Cuál es la probabilidad de que no nieve?

¿Cuál es la probabilidad de que nieve? _____
Las probabilidades deben sumar 1:
P(nieve) + P(no nieve) = 1

P(no nieve) = 1 − _____ = _____ u _____%

¿Cuál es la probabilidad de que no nieve? _____

Resultado	Nieve	No nieve
Probabilidad	20%	?

B. Completa la tabla.

¿Qué fracción de la rueda giratoria

muestra el número 1? _____ . La probabilidad de que

la flecha caiga en el número 1 es P(1) = _____ .

Resultado	1	2	3	4
Probabilidad				

Si la rueda se hubiera dividido en secciones iguales,

¿cuántas secciones habría? _____ . ¿Qué

fracción de la rueda muestra el número 2? _____ .

La probabilidad de que la flecha caiga en el número 2

es P(2) = _____ . La probabilidad de que la flecha caiga

en el número 3 es P(3) = _____ .

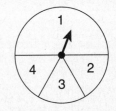

Cómo hallar la probabilidad de los sucesos

Un examen contiene 4 preguntas de opción múltiple. Supongamos que respondes cada pregunta al azar. La tabla muestra la probabilidad de cada resultado.

Resultado	0	1	2	3	4
Probabilidad	0.4096	0.4096	0.1536	0.0256	0.0016

¿Cuál es la probabilidad de tener dos o más respuestas correctas?

¿Qué significa dos o más? _____

P(2 ó más) = _____ + _____ + _____

P(2 ó más) = _____

Holt Pre-Álgebra

Nombre _____ Fecha _____ Clase _____

Guía interactiva de estudio
Probabilidad experimental

Probabilidad = $\dfrac{\text{número de veces que ocurre un suceso}}{\text{número total de pruebas}}$

Cómo estimar la probabilidad de un suceso

A. Ésta es la información registrada después de 550 giros de la rueda giratoria. Estima la probabilidad de que la flecha caiga en la sección azul.

Resultado	Rojo	Azul	Verde
Giros	216	185	149

¿Cuántos giros resultaron en la sección azul? _____

¿Cuántas veces se hizo girar la rueda en total? _____

Halla la probabilidad de que la flecha caiga en la sección azul:

$\dfrac{\text{número de veces que ocurre un suceso}}{\text{número total de pruebas}} = \dfrac{\overline{\quad}}{\underline{\quad}}$

La probabilidad de que la flecha caiga en el color azul es del _____%.

B. Se saca al azar una canica de una bolsa y luego se devuelve. La tabla muestra los resultados luego de 200 intentos. Estima la probabilidad de sacar una canica verde.

Resultado	Roja	Verde	Naranja	Morada	Amarilla
Intentos	65	72	32	18	13

Probabilidad $\approx \dfrac{\text{canicas _____ que se sacaron}}{\text{número total de intentos}} = \dfrac{\overline{\quad}}{200} = $ _____%

C. Un investigador registró el número de personas que se detuvieron a levantar una moneda del piso. De las 75 personas observadas, 32 la levantaron, 12 la patearon, 18 la levantaron y la dejaron caer y 13 la pisaron. Estima la probabilidad de que alguien levante la moneda y la deje caer de nuevo.

Completa la tabla.

Resultado	levantarla	patearla		
Personas observadas	32			

Probabilidad $\approx \dfrac{\text{personas que _____}}{\text{número de personas _____}}$

$= \dfrac{\overline{\quad}}{\underline{\quad}} = $ _____%

La probabilidad de que una persona levante la moneda y la deje caer

de nuevo es del _____% ó _____ como decimal.

Holt Pre-Álgebra

Guía interactiva de estudio

LECCIÓN 9-3 *Algo para saber: Cómo usar una simulación*

Una **simulación** consiste en representar una situación real.

Vocabulario
simulación

Cómo resolver problemas con números aleatorios

En una feria, el 35% de los niños que participan en el juego de las ranas ganan. Estima la probabilidad de que al menos 4 de los próximos 10 niños ganen.

48966	67122	23502	36056
56033	23817	30369	73211
28694	28131	96798	77484
93042	85734	16081	53686
74069	52580	18621	84479
92344	33648	80295	95300

Comprende el problema

La respuesta es la probabilidad de que un niño gane

en al menos _____ de los próximos _____ juegos.

Haz una lista con la información importante:
¿Qué porcentaje representa la probabilidad de que

un niño gane? _____.

Haz un plan

Usa una simulación para representar la situación. Usa los dígitos de la tabla, de dos en dos.

Como la probabilidad de ganar es del 35%, los números del 01 al _____

representan la probabilidad de ganar. Los números del _____ al 00 representan la probabilidad de perder.

Escribe los primeros veinte números de la tabla, de dos en dos.

48	96	66							

¿Cuántos números hay entre 01 y 35? _____

Ésto representa ganar _____ juegos de 10 intentos.

Completa la tabla para las próximas 5 pruebas.

56	03	32							

¿Cuántos ganan? _____

¿Cuántos ganan? _____

¿Cuántos ganan? _____

¿Cuántos ganan? _____

¿Cuántos ganan? _____

De cada 6 pruebas, ¿cuántas veces hay 4 ó más ganadores? _____

Basándote en la simulación, la probabilidad de que al menos cuatro

de diez niños ganen el juego es _____ de 6, es decir, el _____%.

Holt Pre-Álgebra

Guía interactiva de estudio

Probabilidad teórica

La **probabilidad teórica** se usa para estimar probabilidades al hacer suposiciones en relación con un experimento.

Vocabulario
probabilidad teórica

Probabilidad de un suceso $= \dfrac{\text{resultados igualmente probables}}{\text{total de resultados posibles}}$

Cómo calcular la probabilidad teórica
Una prueba consiste en lanzar un dado justo especialmente numerado.
Hay 6 resultados posibles: 2, 4, 6, 8, 10 y 12.
¿Cuál es la probabilidad de obtener 6?

¿Qué significa dado justo? _____

¿Cuántos 6 se pueden obtener? _____

La probabilidad de obtener 6 es $P(6) = \dfrac{\overline{}}{6}$.

Cómo calcular la probabilidad teórica de dos dados justos
Un experimento consiste en lanzar dos dados justos.

A. ¿Cuál es la probabilidad teórica de obtener dos números que sumen 4?

¿Cuántos resultados posibles hay? _____

$P(\text{total} = 4) = \dfrac{\overline{}}{36} = $ _____

B. ¿Cuál es la probabilidad de que la suma de ambos dados sea mayor que 9?
Haz una lista con los resultados posibles:

_____, _____, _____, _____,

_____ y _____.

	1	2	3	4	5	6
1	(1, 1)	(1, 2)	(1, 3)	(1, 4)	(1, 5)	(1, 6)
2	(2, 1)	(2, 2)	(2, 3)	(2, 4)	(2, 5)	(2, 6)
3	(3, 1)	(3, 2)	(3, 3)	(3, 4)	(3, 5)	(3, 6)
4	(4, 1)	(4, 2)	(4, 3)	(4, 4)	(4, 5)	(4, 6)
5	(5, 1)	(5, 2)	(5, 3)	(5, 4)	(5, 5)	(5, 6)
6	(6, 1)	(6, 2)	(6, 3)	(6, 4)	(6, 5)	(6, 6)

$P(\text{total} > 9) = $ _____ $= $ _____

Cómo calcular la probabilidad teórica de sucesos mutuamente excluyentes
Supongamos que participas en un juego en el que se usan dos dados justos. Necesitas 9 puntos para ganar el juego con un resultado exacto ó 5 puntos para llegar a una casilla vacía. ¿Cuál es la probabilidad de obtener el número exacto o llegar a una casilla vacía? Usa la tabla.

¿Cuántos resultados hay para el suceso "9 puntos para ganar"? _____

¿Cuántos resultados hay para el suceso "5 puntos para la

casilla vacía"? _____

$P(\text{ganar o casilla vacía}) = \dfrac{\overline{}}{36} + \dfrac{\overline{}}{36} = $ _____ $= $ _____

Holt Pre-Álgebra

Guía interactiva de estudio

LECCIÓN 9-5 *Principio fundamental de conteo*

El **Principio fundamental de conteo** establece que si hay *m* maneras de elegir un objeto y *n* maneras de elegir un segundo objeto después del primero, entonces hay *m* • *n* maneras de elegir ambos objetos.

<table>
<tr><td>Vocabulario
Principio
fundamental
de conteo</td></tr>
</table>

Cómo usar el Principio fundamental de conteo

Un estado planea emitir una nueva serie de placas con un código de 3 letras, seguidas de 2 números. Tanto las letras como los números se pueden repetir y ambos tienen la misma probabilidad de ser incluidos.

A. Halla el número posible de placas.
Usa el Principio fundamental de conteo.
Usa un espacio para cada letra o número.

_____

primera letra   segunda letra   _____   primer dígito _____

Llena los espacios con el número de opciones para cada letra y número.

¿Cuántas opciones de letras hay? _____

¿Cuántas opciones de dígitos hay? _____

_____   _____   _____   ___10___   _____
primera letra   segunda letra   tercera letra   primer número   segundo número

Multiplica: 26 • _____ • _____ • 10 • _____ • = _____.

El número de placas posibles con tres letras y dos números es _____.

B. Halla la probabilidad de obtener la placa CAT 23.

¿Todas las combinaciones son igualmente probables? _____

Probabilidad = $\dfrac{1}{\text{número total de placas}}$; $P(\text{CAT 23}) = \dfrac{1}{\rule{1.5cm}{0.4pt}}$ ≈ _____

C. Halla la probabilidad de que una placa no incluya la letra O.
Usa el Principio fundamental de conteo para hallar los códigos que *no* contienen la letra O.
Como la placa no puede incluir la letra O, solo hay _____ opciones

para las letras y _____ opciones para los números.

_____   _____   _____   _____   _____
primera letra   segunda letra   tercera letra   primer dígito   segundo dígito

Hay _____ códigos posibles sin la letra O.

Probabilidad = $\dfrac{\rule{1.5cm}{0.4pt}}{1{,}757{,}600}$ ≈ _____

Holt Pre-Álgebra

LECCIÓN 9-6

Guía interactiva de estudio
Permutaciones y combinaciones

Una **permutación** es un arreglo de cosas en un orden particular.

$$_nP_r = \frac{n!}{(n-r)!}$$

Una **combinación** es una selección de cosas hecha en cualquier orden.

$$_nC_r = \frac{_nP_r}{r!} = \frac{n!}{r!(n-r)!}$$

Un **factorial** es el producto de todos los números cabales desde el número dado hasta 1.

Vocabulario
combinación
factorial
permutación

Cómo evaluar expresiones que contienen factoriales
Evalúa cada expresión.

A. 6!

¿Cuáles son los números cabales menores

o iguales que 6? _____

Multiplica. $6 \cdot 5 \cdot$ _____ = _____

B. $\dfrac{8!}{3!}$

Escribe el factorial de cada número.

$\dfrac{8 \cdot 7 \cdot \text{_____}}{\text{\_\_\_\_\_}}$

Cancela los factores comunes.
Multiplica los factores restantes.

$8 \cdot$ _____ = _____

Cómo hallar permutaciones
Hay 6 corredores en una competencia a campo traviesa. Halla las maneras en que los 6 competidores pueden llegar a la meta.

¿Cuál es la fórmula de las permutaciones?

$_nP_r = $ _____

¿Cuántos competidores participan en la carrera? $n = $ _____

¿Cuántos competidores corren a la vez?

$r = $ _____

Sustituye con los valores en la fórmula.

$_6P_\_ = \dfrac{\overline{\text{\_\_\_}}}{\underline{6-6}} = \dfrac{}{\text{\_\_\_}} = \dfrac{\overline{}}{1}$

$= $ _____

Hay _____ permutaciones. Ésto significa

que los corredores pueden llegar de

_____ maneras diferentes a la meta.

Cómo hallar combinaciones
El consejo de estudiantes quiere seleccionar un comité de danza de 4 personas entre sus 10 integrantes. Halla las combinaciones posibles.

Halla el número de integrantes del

consejo. $n = $ _____

¿Cuántos pueden ser elegidos? $r = $ ____

Sustituye con los valores en la fórmula.

$_{10}C_\_ = \dfrac{\text{\_\_}!}{4!(\text{\_\_\_\_\_})!}$

Escribe los factoriales. Cancela y multiplica.

$_{10}C__ = \dfrac{\text{__}!}{4!(6)!} = $

$\dfrac{}{(4 \cdot 3 \cdot 2 \cdot 1)(\text{_____})} = \dfrac{}{24}$

$= $ _____

Hay _____ maneras de formar el comité de 4 personas.

Holt Pre-Álgebra

Nombre _____ Fecha _____ Clase _____

 Guía interactiva de estudio

9-7 *Sucesos independientes y dependientes*

Los **sucesos independientes** son aquellos en los que el resultado del primer suceso no afecta el resultado del segundo.

Los **sucesos dependientes** son aquellos en los que el resultado del primer suceso influye en el resultado del segundo.

Vocabulario
sucesos dependientes
sucesos independientes

Cómo hallar la probabilidad de sucesos independientes
Un experimento consiste en dar vuelta 4 veces a una rueda giratoria. En cada intento todos los resultados son igualmente probables.

A. ¿Cuál es la probabilidad de caer en el número 1 las 4 veces?

¿Cuál es la probabilidad de caer en el número 1? ____

¿Cuál es la fórmula para calcular sucesos independientes?

$P(A \text{ y } B) = $ _____

$P(1, 1, 1, 1) = \dfrac{1}{4} \cdot \dfrac{1}{4} \cdot$ _____ $= \dfrac{1}{\rule{1cm}{0.4pt}} = 0.0039$

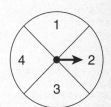

B. ¿Cuál es la probabilidad de caer en un número par las cuatro veces?

¿Cuál es la probabilidad de caer en un número par? ____

¿Cambia esta probabilidad en cada intento? _____

$P(\text{par, par, par, par}) = \dfrac{1}{2} \cdot$ _____ $= \underline{} = $ _____

Cómo hallar la probabilidad de los sucesos dependientes
Una bolsa contiene 6 canicas rojas, 5 azules y 4 verdes. ¿Cuál es la probabilidad de sacar 2 canicas azules de la bolsa?

Los sucesos son dependientes.

¿Cuántas canicas azules hay en la bolsa? _____

¿Cuántas canicas hay en total? _____

¿Cuál es la probabilidad de sacar una canica azul en el primer intento? $\dfrac{\rule{0.6cm}{0.4pt}}{15} = $ _____

¿Cuántas canicas azules quedan en la bolsa? _____

¿Cuántas canicas quedan en total? _____

¿Cuál es la probabilidad de sacar una canica azul en el segundo intento? $\dfrac{\rule{0.6cm}{0.4pt}}{14} = $ _____

La fórmula para calcular la probabilidad de los sucesos dependientes es $P(A)$ _____.

Sustituye con los valores en la fórmula: $\dfrac{1}{3} \cdot \dfrac{2}{7} = $ __

La probabilidad de sacar 2 canicas azules de la bolsa es de _____ .

Holt Pre-Álgebra

| LECCIÓN 9-8 | **Guía interactiva de estudio**
Probabilidades |

Las **probabilidades a favor** es la razón de los resultados favorables a los resultados no favorables.

Las **probabilidades en contra** es la razón de los resultados no favorables a los resultrados favorables.

<table>
<tr><td>Vocabulario</td></tr>
<tr><td>probabilidades
en contra
probabilidades
a favor</td></tr>
</table>

Cómo estimar las probabilidades a partir de un experimento

En una excursión, 75 estudiantes bebieron jugos de frutas. Cada uno de los envases traía un juego para ganar un premio. Nueve estudiantes ganaron otro jugo gratis como premio.

A. Estima las probabilidades a favor de ganar un jugo gratis.

¿Cuántos estudiantes ganaron un jugo gratis? _____ (resultados favorables)

¿Cuántos estudiantes no ganaron un jugo gratis? _____ (resultados no favorables)

Las probabilidades a favor representa la razón de los resultados

favorables a los resultados no favorables. Por lo tanto, las probabilidades

a favor son de _____ a 66, es decir, _____ a _____.

B. Estima las probabilidades en contra de ganar un jugo gratis.

¿Cuáles son las probabilidades de ganar un jugo gratis? _____
Las probabilidades en contra de ganar un jugo gratis son (lo contrario

de ganar) 22 a _____.

Cómo convertir probabilidades en una probabilidad

Si las probabilidades a favor de ganar un emparedado gratis es de 1:15, ¿cuál es la probabilidad de ganar?

Si la posibilidad de un suceso es *a:b*, entonces la probabilidad del suceso es
$\frac{a}{a+b}$.

Hay _____ ganador por cada _____ pesonas. Sustituye con los valores en la fórmula.

$\frac{1}{1 + \underline{}} = \underline{}$

La probabilidad de ganar un sándwich

es de _____.

Cómo convertir una probabilidad en probabilidades

La probabilidad de ganar un almuerzo

gratis es $\frac{1}{50}$. ¿Cuáles son las probabilidades a favor?

Si la probabilidad de un suceso es $\frac{m}{n}$, entonces las probabilidades a favor del suceso son *m*: (*n* − *m*).

Hay _____ ganador por cada _____ personas.
¿Cuántas personas no ganan? _____
Las probabilidades a favor son de

1:(50 − 1) ó _____.

Holt Pre-Álgebra

Guía interactiva de estudio

LECCIÓN 10-1 *Cómo resolver ecuaciones de dos pasos*

Para resolver una ecuación debes despejar la variable. Puedes usar más
de una operación para despejar la variable.

Cómo resolver ecuaciones de dos pasos
Resuelve.

A. $\dfrac{a}{3} + 7 = 15$

$\dfrac{a}{3} + 7 = 15$ ¿Qué es lo opuesto de sumar 7? _____

$\dfrac{\underline{\quad}}{} \quad \dfrac{\underline{\quad}}{}$

$\dfrac{a}{3} = \underline{\quad}$ Simplifica.

$\underline{\quad} \bullet \dfrac{a}{3} = 8 \bullet \underline{\quad}$ Para cancelar la división, multiplica ambos lados por _____.

$a = \underline{\quad}$ Halla el valor de *a*.

Comprueba:

$\dfrac{a}{3} + 7 = 15$

$\dfrac{\overline{\quad}}{3} + 7 \overset{?}{=} 15$ ¿Con qué valor sustituyes *a* en la ecuación? _____

$\underline{\quad} + 7 \overset{?}{=} 15$ ¿Es ésta la solución de la ecuación? _____

B. $-13.6 = -3.5f - 4.5$

$-13.6 = -3.5f - 4.5$ ¿Cómo cancelas -4.5? _____

$\dfrac{\underline{\quad}}{} \qquad \dfrac{\underline{\quad}}{}$

$-9.1 = -3.5f$ ¿Cómo despejas *f*?

$\dfrac{-9.1}{\underline{\quad}} = \dfrac{-3.5f}{\underline{\quad}}$

_____

$\underline{\quad} = f$ Halla el valor de *f*. ¿Es ésta la solución de la ecuación? _____

C. $\dfrac{w + 7}{8} = 11$

¿Qué haces para cancelar la fracción?

$\underline{\quad} \dfrac{w + 7}{8} = 11 \underline{\quad}$ _____

$w + 7 = \underline{\quad}$ ¿Cuál es el siguiente paso para despejar *w*?

$\dfrac{\underline{\quad}}{} \qquad \dfrac{\underline{\quad}}{}$

$w = \underline{\quad}$ Halla el valor de *w*. ¿Cómo compruebas la solución?

_____

_____

Holt Pre-Álgebra

Guía interactiva de estudio

LECCIÓN 10-2 *Cómo resolver ecuaciones de varios pasos*

Para resolver una ecuación debes despejar la variable. Combina los términos semejantes para despejar la variable.

Cómo resolver ecuaciones que contienen términos semejantes
Resuelve.

$4x + 12 + 8x - 24 = 36$

$4x + 12 + 8x - 24 = 36$	Encierra en un círculo los términos que contienen una variable.
$12x - 12 = 36$	Combina los términos semejantes.
___ ___	Suma _____ en ambos lados para despejar x.
$12x = $ ____	
$\dfrac{12x}{\rule{1cm}{0.4pt}} = \dfrac{\rule{1cm}{0.4pt}}{\rule{1cm}{0.4pt}}$	_____ ambos lados entre 12.
$x = $ ____	Simplifica.

Comprueba:

$4x + 12 + 8x - 24 = 36$

$4(\underline{\quad}) + 12 + 8(\underline{\quad}) - 24 \overset{?}{=} 36$ ¿Con qué valor sustituyes x? _____

$\underline{\quad} + 12 + \underline{\quad} - 24 \overset{?}{=} 36$ Simplifica.

$\underline{\quad} = 36 \; ✔$

Cómo resolver ecuaciones que contienen fracciones
Resuelve.

$$\frac{5y}{8} + \frac{7}{8} = \frac{-3}{8}$$

$\underline{\quad} \cdot \left(\dfrac{5y}{8} + \dfrac{7}{8} \right) = \underline{\quad} \cdot \left(\dfrac{-3}{8} \right)$	Multiplica ambos lados por ____ para cancelar los denominadores.
$\underline{\quad} \left(\dfrac{5y}{8} \right) + \underline{\quad} \left(\dfrac{7}{8} \right) = \underline{\quad} \left(\dfrac{-3}{8} \right)$	Usa la propiedad distributiva.
$\underline{\quad} + 7 = \underline{\quad}$	Simplifica.
___ ___	Cancela la suma.
$5y = $ ____	
$\dfrac{5y}{\rule{1cm}{0.4pt}} = \dfrac{-10}{\rule{1cm}{0.4pt}}$	¿Cómo despejas y?
	_____
$y = $ ____	Halla el valor de y.

Holt Pre-Álgebra

Guía interactiva de estudio

LECCIÓN 10-3 *Cómo resolver ecuaciones con variables en ambos lados*

En las ecuaciones de varios pasos, combina los términos semejantes
o cancela las fracciones antes de despejar la variable.

Cómo resolver ecuaciones con variables en ambos lados
Resuelve.

A. $5a + 6 = 6a$

_____ _____   Resta _____ en ambos lados para dejar las

$6 = a$ variables en el mismo lado de la ecuación.

B. $7x - 9 = 6 + 2x$ ¿Cuál es el primer paso?

_____

_____ _____   Resta $2x$ en ambos lados.

____$x - 9 = 6$ Combina los términos semejantes.

_____ _____   Cancela -9.

$5x =$ ____   Suma

$\dfrac{5x}{\underline{}} = \dfrac{15}{\underline{}}$ Despeja x.

$x =$ ____   ¿Cuánto vale x?

C. $2a - 6 = 2a + 8$ ¿Cómo dejas $2a$ en el mismo lado?

_____ _____   Resta $2a$ en ambos lados.

$-6 = 8$ ¿Es éste un enunciado verdadero? _____

No hay solución para la ecuación porque ningún número que sustituya a
la variable a hace verdadera la ecuación.

**Cómo resolver ecuaciones de varios pasos con variables
en ambos lados**
Resuelve.
$x + 9 + 6x = 2 + x + 1$
     $7x + 9 = x + 3$ ¿Cuál es el primer paso?

_____

_____ _____   Deja x en un lado de la ecuación.

____$x + 9 =$ ____   Resta.

_____ _____   ¿Cuál es el siguiente paso? _____

$6x =$ ____

$\dfrac{6x}{\underline{}} = \dfrac{-6}{\underline{}}$ ¿Cómo despejas x? _____

$x =$ ____   Halla el valor de x.

Holt Pre-Álgebra

Guía interactiva de estudio

Cómo resolver desigualdades de varios pasos

Para resolver desigualdades de varios pasos, combina los términos semejantes o cancela las fracciones antes de despejar la variable. Al multiplicar o dividir entre un número negativo, invierte el signo de la desigualdad.

Cómo resolver desigualdades de dos pasos

Resuelve $4x - 5 > 11$.

$4x - 5 > 11$ ¿Qué debes sumar en ambos lados para cancelar −5? _____

____ ____

$4x >$ _____   ¿Cómo despejas x? _____

$\dfrac{4x}{\_\_} > \dfrac{16}{\_\_}$

$x >$ _____   ¿Cómo se lee el resultado? _____

¿Usarías un círculo abierto o cerrado para representar gráficamente la solución? _____

¿Hacia dónde se extiende la gráfica, a la izquierda o a la derecha? _____

Representa gráficamente la solución.

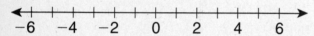

Cómo resolver desigualdades de varios pasos

Resuelve.

$6x - 3 - 8x \le 11$

$-\_\_x - 3 \le 11$ ¿Cuál es el primer paso? _____

____ ____   Cancela −3.

$-2x \le 14$ Divide ambos lados entre _____.

$\dfrac{-2x}{\_\_} \;\square\; \dfrac{14}{\_\_}$ Razona: Al _____ o _____ por un número

negativo, se _____ el signo de la desigualdad.

$x \ge$ _____

La gráfica muestra un círculo _____ y se extiende hacia la _____.

Representa gráficamente la solución.

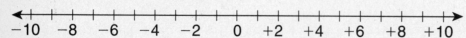

Holt Pre-Álgebra

Nombre _____ Fecha _____ Clase _____

Guía interactiva de estudio
Cómo hallar una variable en ecuaciones con más de una variable

Cómo hallar una variable con sumas o restas

Resuelve $P = a + b + c$ para hallar c.

$P = a + b + c$ Para cancelar a o b _____ en ambos lados.

_____   _____

P _____ $= c$ Simplifica.

Cómo hallar una variable con divisiones o raíces cuadradas

Resuelve para hallar la variable indicada.

A. Resuelve $PV = nRT$ para hallar R.

$PV = nRT$ Para despejar R, _____ ambos lados entre n y entre ___.

$\dfrac{PV}{\underline{\ \ }} = \dfrac{nRT}{\underline{\ \ }}$

$\dfrac{PV}{\underline{\ \ }} = $ ___   Halla el valor de R.

B. Resuelve $a^2 + b^2 = c^2$ para hallar b.

$a^2 + b^2 = c^2$ ¿Qué término debes mover primero? _____

_____   _____

$b^2 = c^2$ _____   ¿Qué es lo contrario de elevar un número al cuadrado?

_____

$\sqrt{\underline{\ \ }} = \sqrt{\underline{\ \ \ \ \ }}$ Halla la raíz cuadrada de ambos lados.

$b = \sqrt{\underline{\ \ \ \ \ }}$ ¿Cuánto vale b?

Cómo hallar el valor de y y representarlo gráficamente

Halla el valor de y y representa gráficamente $3x + 2y = 6$.

$3x + 2y = 6$

_____   _____   ¿Qué debes hacer primero para hallar y?

_____

_____ $=$ _____ $+ 6$ _____

$\dfrac{2y}{\underline{\ \ }} = \dfrac{-3x}{\underline{\ \ }} + \dfrac{6}{\underline{\ \ }}$ ¿Cómo despejas y?

_____

$y = \underline{\ \ } x + 3$ Simplifica.

Haz una tabla de valores y traza los puntos en la gráfica. Une los puntos con una recta.

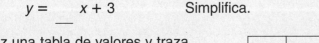

x	0	2	4
y	3		

83   **Holt Pre-Álgebra**

LECCIÓN 10-6 Guía interactiva de estudio
Sistemas de ecuaciones

Un **sistema de ecuaciones** es un conjunto de dos o más ecuaciones.
La **solución de un sistema de ecuaciones** es un conjunto de valores
que satisface a ambas ecuaciones.

Vocabulario
solución de un sistema de ecuaciones
sistema de ecuaciones

Cómo resolver sistemas de ecuaciones
Resuelve el sistema de ecuaciones.

A. $y = -x + 6$
  $y = x - 2$ ¿A qué son iguales ambas ecuaciones?

                           ____

$-x + 6 = x - 2$ Iguala ambas ecuaciones.

_____ _____   Deja x en un lado de la ecuación.

___ = ___$x - 2$ Combina los términos semejantes.

___ $= 2x$ Deja los términos constantes en un lado de la ecuación.

$\dfrac{8}{} = \dfrac{2x}{}$ ¿Cómo despejas x? _____

___ $= x$ Halla el valor de x.

  $y = x - 2$ Elige una de las ecuaciones originales para hallar el valor de y.

  $y = $ ___ $- 2$ Para hallar el valor de y, _____ x con 4 en la ecuación
                         original.

  $y = $ ___

La solución del sistema es (___, ___).

B. $2x - y = 4$
  $6x + 3y = 12$

Halla el valor de y en ambas ecuaciones.

$2x - y = 4$ $6x + 3y = 12$

____ $= -2x + 4$ $3y = $ _____ $+ 12$

  $y = $ _____ $y = $ _____ $+ 4$

_____ $+ 4 = 2x - $ ___   Iguala ambas ecuaciones.

  $4 = $ ___$x - 4$ Deja x en un lado de la ecuación.
  $8 = 4x$ Suma 4 en ambos lados.
  $\dfrac{8}{} = \dfrac{4x}{}$ Divide ambos lados entre ___.

___ $= x$ Halla el valor de x.

Sustituye x en cualquiera de las ecuaciones originales: $y = 2x - 4 = 2(2) - 4 = $ ___

El conjunto solución es (___, ___).

Holt Pre-Álgebra

Guía interactiva de estudio
Cómo representar gráficamente las ecuaciones lineales

Una **ecuación lineal** es una ecuación cuyas soluciones forman una línea recta en un plano cartesiano. Si la ecuación es lineal, a un cambio constante en el valor de x le corresponde un cambio constante en el valor de y.

Vocabulario
ecuación lineal

Cómo representar gráficamente las ecuaciones
Representa gráficamente cada ecuación e indica si es lineal o no.

A. $y = 3x - 2$
Haz una tabla de valores.

x	$3x - 2$	y	(x, y)
−2	$3(−2) − 2$	−8	$(−2, −8)$
−1	$3(\_\_) − 2$		$(−1, \_\_)$
0	$3(\_\_) − 2$		$(0, \_\_)$
1	$3(\_\_) − 2$		
2	$3(\_\_) − 2$		

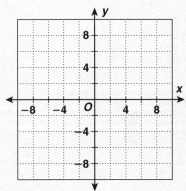

Traza los pares ordenados de la tabla en la cuadrícula de coordenadas.

¿Forma la ecuación una línea recta? _____

¿Qué cambio hay entre cada valor de y? _____

¿Es igual el cambio entre cada valor de y? _____

La ecuación $y = 3x - 2$ es una ecuación _____.

B. $y = x^2 + 1$
Haz una tabla de valores.

x	$x^2 + 1$	y	(x, y)
−2	$(−2)^2 + 1$	5	$(−2, 5)$
−1	$(−1)^2 + 1$		$(−1, \_\_)$
0	$(0)^2 + 1$		$(0, \_\_)$
1	$(1)^2 + 1$		
2	$(2)^2 + 1$		

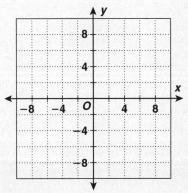

Traza los pares ordenados de la tabla en la cuadrícula de coordenadas.

¿Forma la ecuación una línea recta? _____

¿Es constante el cambio entre cada valor de y? _____

La ecuación $y = x^2 + 1$ _____ es una ecuación lineal.

Holt Pre-Álgebra

Guía interactiva de estudio
LECCIÓN 11-2 *Pendiente de una línea*

Las ecuaciones lineales tienen una pendiente constante. La fórmula para determinar la pendiente entre dos puntos es $m = \dfrac{y_2 - y_1}{x_2 - x_1}$.

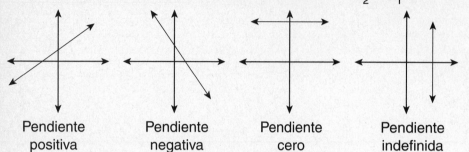

| Pendiente positiva | Pendiente negativa | Pendiente cero | Pendiente indefinida |

Cómo hallar la pendiente entre dos puntos
Halla la pendiente de la línea que pasa por los puntos (2, 4) y (8, 2).

En este caso, $x_1 = 2$, $y_1 =$ ____, $x_2 =$ ____ y ____ = 2.

$m = \dfrac{2 - \_\_}{\_\_ - 2} = \dfrac{-2}{\_\_} = \dfrac{\_\_}{3}$ Sustituye con los valores en la fórmula.

La pendiente de la línea que pasa por los puntos (2, 4) y (8, 2) es ____.

Cómo hallar la pendiente a partir de una gráfica
Usa la gráfica de una línea para determinar su pendiente.

Elige dos puntos en la línea: (0, ____) y (____, 0).

En este caso, $x_1 = 0$, $y_1 =$ ____, $x_2 =$ ____ y ____ = 0.

$m = \dfrac{0 - \_\_}{\_\_ - 0} =$ ____   Sustituye con los valores.

La pendiente de la línea es ____.

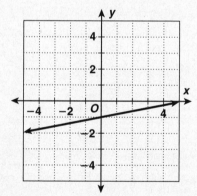

Las líneas paralelas tienen la misma pendiente. Las líneas perpendiculares tienen pendientes que son recíprocas negativas una de otra.

Cómo identificar líneas paralelas y perpendiculares según su pendiente
Indica si las líneas que pasan por los puntos dados son paralelas o perpendiculares.
línea 1: (−4, 2) y (4, 6); línea 2: (−2, −4) y (14, 4)

pendiente de la línea 1: $m = \dfrac{6 - \_\_}{\_\_ - (-4)} = \dfrac{4}{8} =$ ____

pendiente de la línea 2: $m = \dfrac{\_\_ - (-4)}{\_\_ - (-2)} = \dfrac{8}{16} =$ ____

Como ambas líneas tienen la _____ pendiente, las líneas son _____.

Holt Pre-Álgebra

Nombre _____ Fecha _____ Clase _____

Guía interactiva de estudio

LECCIÓN 11-3 *Cómo usar pendientes e intersecciones*

La **intersección con el eje de las *x*** es el punto donde la gráfica cruza el eje de las *x*. La **intersección con el eje de las *y*** es el punto donde la gráfica cruza el eje de las *y*.

Cómo hallar la intersección con el eje de las *x* y la intersección con el eje de las *y* para representar gráficamente ecuaciones lineales
Halla la intersección con el eje de las *x* y la intersección con el eje de las *y* de la línea $4x + 5y = 20$. Usa las intersecciones para representar gráficamente la ecuación.

Halla la intersección con el eje de las *x*. ($y = 0$)
$$4x + 5y = 20$$

$4x + 5(\underline{\quad}) = 20$ Sustituye *y* con 0.

$\underline{\quad}x = 20$

$\dfrac{4x}{\underline{\quad}} = \dfrac{20}{\underline{\quad}}$ ¿Entre qué número divides ambos lados?

$x = \underline{\quad}$ Halla el valor de *x*. La intersección con el eje de las *x* es ____.

Halla la intersección con el eje de las *y*. ($x = 0$)
$$4x + 5y = 20$$

$4(\underline{\quad}) + 5y = 20$ Sustituye *x* con 0.

$\underline{\quad}y = 20$

$\dfrac{5y}{\underline{\quad}} = \dfrac{20}{\underline{\quad}}$ ¿Entre qué número divides ambos lados?

$y = \underline{\quad}$ Halla el valor de *y*. La intersección con el eje de las *y* es ____.

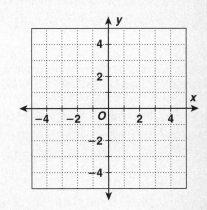

Para representar gráficamente la ecuación traza los puntos (____, 0) y (0, ____).

Para una ecuación escrita en la forma de pendiente-intersección, $y = mx + b$, *m* representa la pendiente y *b* la intersección con el eje de las *y*.

Cómo usar la forma pendiente-intersección para hallar la pendiente y la intersección con el eje de las *y*
Escribe la ecuación $3y = 8x$ en la forma pendiente-intersección.
Luego, halla la pendiente y la intersección con el eje de las *y*.

¿Cuál es la forma pendiente-intersección de una ecuación? $y =$ _____
$$3y = 8x$$
$\dfrac{3y}{\underline{\quad}} = \dfrac{8x}{\underline{\quad}}$ ¿Entre qué número divides ambos lados?

$y = \underline{\quad}x$ ¿Cuál es la pendiente? ____ ¿Cuál es la intersección con el eje de las *y*? ____.

Holt Pre-Álgebra

Nombre _____ Fecha _____ Clase _____

La forma punto-pendiente de una ecuación lineal es
$y - y_1 = m(x - x_1)$, donde m es la pendiente y (x_1, y_1)
es un punto en la línea.

**Cómo usar la forma punto-pendiente para identificar información
sobre una línea**

Usa la forma punto-pendiente de la ecuación para identificar el punto
por el que pasa la línea así como la pendiente.

A. $\quad y - 6 = \dfrac{3}{4}(x - 12)$

$y - $ ____ $ = $ ____ $(x - $ ____ $)$ Escribe la forma punto-pendiente de la ecuación.

¿Cuál es el valor de m? ____ ¿Cuál es el valor de x_1? ____ ¿Cuál es el valor de y_1? ____

La línea tiene una pendiente de $\dfrac{3}{4}$ y pasa por el punto (_____).

B. $\quad y - 4 = 5(x + 8)$

$y - $ ____ $ = $ ____ $(x - $ ____ $)$ Escribe la forma punto-pendiente de la ecuación.

$y - 4 = 5(x -($ ____ $))$ Escribe una resta y el opuesto de 8 dentro del paréntesis.

¿Cuál es el valor de m? ____   ¿Cuál es el valor de x_1? ____   ¿Cuál es el valor de y_1? ____

La línea tiene una pendiente de ____ y pasa por el punto (_____).

Cómo escribir la forma punto-pendiente de una ecuación

Usa la pendiente dada y el punto indicado para escribir la forma punto-
pendiente de la ecuación.

A. la línea con pendiente -3 pasa por el punto $(5, 2)$

Escribe la forma punto-pendiente. $y - $ ____ $ = $ ____ $(x - $ ____ $)$

Sustituye con los valores conocidos. $y - $ ____ $ = $ ____ $(x - $ ____ $)$

B. La línea con pendiente 8 pasa por el punto $(-2, 6)$

Escribe la forma punto-pendiente.   ____ $-$ ____ $=$ ____ $($ ____ $-$ ____ $)$

Sustituye con los valores conocidos. $y - $ ____ $ = $ ____ $(x - ($ ____ $))$

Simplifica la ecuación. $y - $ ____ $ = $ ____ $(x + $ ____ $)$

Holt Pre-Álgebra

LECCIÓN 11-5 Guía interactiva de estudio
Variación directa

Si dos variables están relacionadas de manera proporcional mediante una razón constante de *k*, entonces tienen una **variación directa**.

$$y = kx \text{ o } k = \frac{y}{x}$$

Vocabulario

variación directa

Cómo determinar si un conjunto de datos tiene variación directa

Determina si los datos muestran una variación directa.

A.

Estampillas	1	2	3	4	5
Precio $	0.37	0.74	1.11	1.48	1.85

Haz una gráfica con los datos.

¿Es la gráfica una línea recta? _____

Compara las razones. $\dfrac{0.37}{1} \overset{?}{=} \dfrac{0.74}{2} \overset{?}{=} \dfrac{}{3} \overset{?}{=} \dfrac{}{4} \overset{?}{=} \dfrac{}{5}$

Reduce cada razón: 0.37, 0.37, _____, _____, _____

Como todas las razones son iguales, ésta es una _____.

B.

x	3	4	5	6	7
y	8	7.5	6	6.5	5

Haz una gráfica con los datos.

¿Es la gráfica una línea recta? _____

Compara las razones. $\dfrac{8}{3} \overset{?}{=} \dfrac{7.5}{4} \overset{?}{=} \dfrac{}{5} \overset{?}{=} \dfrac{}{6} \overset{?}{=} \dfrac{}{7}$

Reduce cada razón: 2.7, 1.9, _____, _____, _____

Como las razones _____ son iguales, ésta no es una

variación _____.

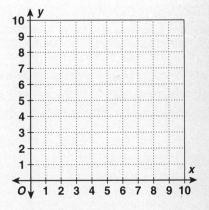

Cómo hallar ecuaciones de variación directa

Halla la ecuación de una variación directa, si *y* varía en la misma medida que *x*, y sabemos que *y* es igual a 32 cuando *x* es igual a 8.

$y = kx$ Escribe la ecuación de variación directa.

____ = *k* • ____   Sustituye *x* y *y* con los valores conocidos.

____ = *k*

$y = $ ____ *x*   Ahora sustituye 4 en la ecuación original.

Holt Pre-Álgebra

Guía interactiva de estudio
Cómo representar gráficamente las desigualdades en dos variables

La gráfica de una **desigualdad lineal** divide el plano cartesiano en tres partes: los puntos en un lado de la línea, los puntos sobre la **línea de límite** y los puntos en el otro lado de la línea. Cualquier par ordenado que haga verdadera la desigualdad es una solución. Para representar las desigualdades con los símbolos $>$ ó $<$ se usa una línea de límite punteada y cuando los símbolos son $\leq$ ó $\geq$ se usa una línea sólida.

Vocabulario
línea de límite
desigualdad lineal

Cómo representar gráficamente las desigualdades

Representa gráficamente cada desigualdad.

A. $y > x + 2$

¿Qué tipo de línea debes usar, punteada o sólida? _____

¿Por qué? _____ .

Representa gráficamente la ecuación $y = x + 2$.
Elige un punto en cualquier lado de la línea de límite.

¿Qué punto es el más fácil de usar? _____

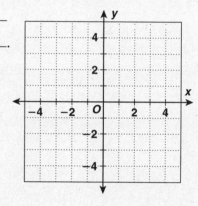

Sustituye ese punto en la desigualdad.

$y > x + 2$

_____ > _____ + 2

_____ > _____ ¿Es éste un enunciado verdadero? _____

Sombrea el lado de la línea que no incluye el punto (0, 0).

B. $y \leq x - 3$

¿Qué tipo de línea debes usar, punteada o sólida? _____

¿Por qué? _____ .

Representa gráficamente la ecuación $y = x - 3$.
Elige un punto en cualquier lado de la línea de límite.

¿Qué punto es el más fácil de usar? _____

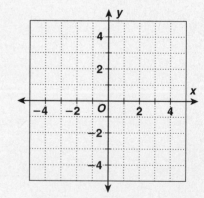

Sustituye ese punto en la desigualdad.

$y \leq x - 3$

_____ ≤ _____ - 3

_____ ≤ _____ ¿Es éste un enunciado verdadero? _____

Sombrea el lado de la línea que no incluye el punto (0, 0).

Holt Pre-Álgebra

Guía interactiva de estudio
Líneas del mejor ajuste

Puedes hallar la línea de mejor ajuste en los datos que muestran algún tipo de correlación. Hay cuatro pasos a seguir:

- Calcula las medias de las coordenadas x y y.

- Traza una línea que pase por las medias y que represente la línea del mejor ajuste.

- Estima las coordenadas de otro punto en la línea.

- Halla la ecuación de la línea.

Cómo hallar una línea del mejor ajuste

Traza los puntos y halla la línea del mejor ajuste.

x	3	5	6	2	4	9	7	8
y	3	7	6	2	3	7	4	8

Primero, traza los puntos en la cuadrícula de coordenadas. Luego, calcula la media de las coordenadas x y y.

¿Cómo hallas la media?

_____

$$x_m = \frac{3 + 5 + 6 + 2 + \_ + \_ + \_ + \_}{\_} = 5.5$$

$$y_m = \frac{3 + 7 + 6 + 2 + \_ + \_ + \_ + \_}{\_} = 5$$

Traza una línea que pase por (x_m, y_m) y que sea representiva de los datos.

Estima y traza las coordenadas de otro punto en la línea. Usa (8, 7).

Halla la pendiente de la línea localizada entre (x_m, y_m) y (8, 7).

$$m = \frac{7 - \_}{8 - \_} = \_\_\_\_ = \_\_\_$$

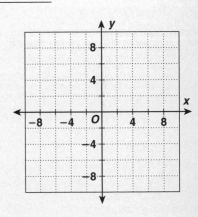

¿Cuál es la forma punto-pendiente de una ecuación? _____

Elige cualquier punto y sustituye en la forma punto-pendiente.

$y - 7 = 0.8(x - 8)$ Sustituye $x_1 = 8$ y $y_1 = 7$.

$y - \_\_\_ = 0.8x - \_\_\_$ Usa la propiedad distributiva.

$\_\_\_\_$ $\_\_\_\_$ Despeja y.

$y = 0.8x + \_\_\_$

La ecuación de la línea del mejor ajuste es _____.

Holt Pre-Álgebra

LECCIÓN 12-1

Guía interactiva de estudio
Sucesiones aritméticas

En una **sucesión aritmética**, la diferencia entre un **término** y el siguiente siempre es constante y se conoce como **diferencia común**.

Vocabulario
sucesión aritmética
diferencia común
término

Cómo identificar sucesiones aritméticas

Determina si cada sucesión es una sucesión aritmética. Si es así, halla la diferencia común.

A. 7, 13, 19, 25, 31, ...

¿Cuál es la diferencia entre cada término?

6 __ __ __   ¿Es constante la diferencia? ____

Ésta _____ una sucesión aritmética con una diferencia común de __.

B. 1, 3, 4, 7, 11, 18, ...

¿Cuál es la diferencia entre cada término?

2 __ __ __ __   ¿Es constante la diferencia? ____

Ésta _____ es una sucesión aritmética.

C. 87, 84, 81, 78, 75, ...

¿Cuál es la diferencia entre cada término?

−3 ___ ___ ___   ¿Es constante la diferencia? ____

Ésta _____ una sucesión aritmética con una diferencia común de ____.

La fórmula para hallar el término n es $a_n = a_1 + (n - 1)d$, donde a_1 es el primer término, n es el número del término y d es la diferencia común.

Cómo hallar un determinado término de una sucesión aritmética

Halla el término dado en la sucesión aritmética.

12^{avo} término: −10, −5, 0, 5, 10, ...

¿Cuál es la fórmula general? $a_n = $ _____

¿Cuál es el primer término?   _____, es decir, a_1.

¿Cuál es la diferencia común?   _____, es decir, d.

¿Qué término buscas?   _____, es decir, n.

$a_{12} = -10 + ($_____ $- 1)$_____   Sustituye con los valores conocidos en la fórmula.

$a_{12} = -10 + $_____   Simplifica.

$a_{12} = $_____   El 12^{avo} término de la sucesión es _____.

Holt Pre-Álgebra

Guía interactiva de estudio

LECCIÓN
12-2 *Sucesiones geométricas*

En una **sucesión geométrica,** la razón entre un término y el siguiente siempre es constante y se conoce como **razón común.**

Vocabulario
razón común
sucesión geométrica

Cómo identificar sucesiones geométricas
Determina si cada sucesión es una sucesión geométrica. Si es así, halla la razón común.

A. $7, -7, 7, -7, 7, \ldots$

-1 ___ ___ ___ ¿Cuál es la razón entre cada término?

¿Son constantes las razones? ____

Ésta _____ una sucesión geométrica con una razón común de ____.

B. $2, 4, 6, 8, 10, \ldots$

$\dfrac{4}{2}$ ___ ___ ___ ¿Cuál es la razón entre cada término?

¿Son constantes las razones? ____

Ésta _____ una sucesión geométrica.

La fórmula para hallar el término n es $a_n = a_1 r^{n-1}$, donde a_1 es el primer término, n es el número del término y r es la razón común.

Cómo hallar un determinado término de una sucesión geométrica
Halla el término dado en la sucesión geométrica.
20^{avo} término: $800, 640, 512, 409.6, \ldots$

¿Cuál es la fórmula general? $a_n = a_1$

¿Cuál es el primer término? _____, es decir, a_1.

¿Cuál es la razón común? _____, es decir, r.

¿Qué término buscas? _____, es decir, n.

$a_n = a_1 r^{n-1}$ Sustituye con los valores conocidos en la fórmula.

$a_{20} = 800 (0.8)^{20-1}$ Simplifica.

$a_{20} = $ _____

El vigésimo término de la sucesión es _____.

Holt Pre-Álgebra

Nombre _____ Fecha _____ Clase _____

Guía interactiva de estudio
Otras sucesiones

Cómo usar las primeras y las segundas diferencias para hallar los términos de una sucesión

Usa las primeras y las segundas diferencias para hallar los tres términos siguientes de una sucesión. Completa cada tabla.

A. 3, 8, 15, 24, 35, 48, 63, ...

Sucesión	3	8	15	24	35	48	63	??	??	??
Primeras diferencias		5	7							
Segundas diferencias			2							

Los tres términos siguientes son ____, ____ y ____.

B. 2, 8, 18, 32, 50, 72, ...

Sucesión	2	8	18	32	50	72	??	??	??
Primeras diferencias		6	10						
Segundas diferencias			4						

Los tres términos siguientes son ____, ____ y ____.

Cómo hallar una regla, dados los términos de una sucesión

Da los tres términos siguientes de la sucesión.
Usa la regla más simple que puedas hallar.

1, 8, 27, 64, 125, ...

¿Son los términos cuadrados perfectos? ____

¿Son los términos cubos perfectos? ____

Los tres números siguientes son ____, ____ y ____.

Cómo hallar los términos de una sucesión a partir de una regla

Halla los cinco primeros términos de la sucesión definida mediante
la regla $a_n = \dfrac{4n}{n+2}$.

¿Qué significa n? _____

$a_1 = \dfrac{4(1)}{1+2} = \dfrac{4}{3}$ ⟶ ____ $= \dfrac{4(2)}{\_+2} = \dfrac{8}{4} =$ ____ ⟶ $a_3 = \dfrac{4\_}{\_+2} =$ ____

$a_4 = \dfrac{4\_}{\_+2} =$ ____ $=$ ____ ⟶ $a_5 = \dfrac{4\_}{\_+2} =$ ____

Los primeros cinco términos son ____, ____, ____, ____, ____.

Holt Pre-Álgebra

Nombre _____ Fecha _____ Clase _____

Guía interactiva de estudio

Una **función** es una regla que relaciona dos cantidades de forma que cada **valor de entrada** o valor x produzca sólo un **valor de salida** o valor y.

Vocabulario
función
valor de entrada
valor de salida

Cómo hallar diferentes representaciones de una función

Haz una tabla y una gráfica para $y = x^2 - 1$.

Completa la tabla y luego traza cada punto.

x	$x^2 - 1$	y	(x, y)
-2	$(-2)^2 - 1$	3	$(-2, 3)$
-1	$(\_\_)^2 - 1$		( )
0	$(\_\_)^2 - 1$		( )
1	$(\_\_)^2 - 1$		( )
2	$(\_\_)^2 - 1$		( )

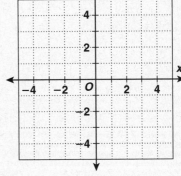

Une los puntos con una curva continua.

¿Cada valor de entrada produce un valor de salida? _____

Cómo identificar funciones

Determina si cada relación representa una función.

A.

x	y
2	4
6	8
10	12
14	16

B.

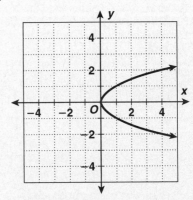

¿Cada valor de entrada (x) produce

un valor de salida (y)? _____

¿Esta relación representa una

función? _____

¿Cuál es el valor de salida para un

valor de entrada (y) de 1? _____

¿Esta relación representa una

función? _____

Cómo evaluar funciones

Para la función $y = 3x + 5$, halla $f(3)$ y $f(-2)$.

$f(3) = 3(\_\_) + \_\_ = \_\_$ Evalúa $f(x)$ para cada valor indicado.

$f(-2) = 3(\_\_) + \_\_ = \_\_$

Holt Pre-Álgebra

LECCIÓN
12-5

Guía interactiva de estudio
Funciones lineales

La gráfica de una **función lineal** es una línea recta.

Vocabulario
función lineal

Cómo escribir la ecuación de una función lineal a partir de una gráfica

Escribe la regla de la función lineal que muestra la gráfica.

¿Cuál es la forma general de una función lineal? _____

¿Cuál es la intersección con el eje de las *y* en la gráfica? *b* = ____

Sustituye *b* en la ecuación. $f(x) = mx +$ ____

Usa (−2, 0), otro punto en la gráfica, y luego
sustituye con los valores de *x* y *y* en la ecuación.

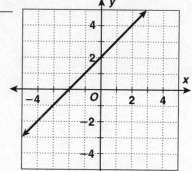

$f(x) = mx + 2$

$0 = m(-2) +$ ____   Sustituye *x* = ____ y *y* = ____.

$0 = -2m +$ ____   Multiplica.

____ $= -2m$ Despeja la variable.

$\dfrac{-2}{\rule{1cm}{0.4pt}} = \dfrac{-2m}{\rule{1cm}{0.4pt}}$ ¿Entre qué número divides ambos lados?

____ $= m$ Halla el valor de *m*.

Sustituye con los valores de *m* y *b* en la función.

La regla es $f(x) =$ ____ $x +$ ____.

Cómo escribir la ecuación de una función lineal a partir de una tabla

Escribe la regla de la función lineal.

x	y
−2	6
−1	5
0	4
1	3

¿Cuál es el valor de *x* cuando la gráfica cruza el eje de las *y*? ____

¿Puedes hallar la intersección con el eje de las *y*, es decir, *b*, en
la tabla? ____

¿Cuál es la intersección con el eje de las *y*? ____

Sustituye con los valores de *x* y *y* del punto (1, 3) en la ecuación.

$f(x) = mx + b$

____ $=$ ____ $m +$ ____   Sustituye *x* = ____, *y* = ____ y

                          b = ____.

____ $= m$ Halla el valor de *m*.

La regla es $f(x) =$ _____.

Holt Pre-Álgebra

Guía interactiva de estudio

LECCIÓN 12-6 *Funciones exponenciales*

Una **función exponencial** se escribe en la forma $f(x) = p \cdot a^x$. Si a es mayor que 1, se trata de una función de crecimiento exponencial. Si a es menor que 1, es una función de disminución exponencial.

Vocabulario
función exponencial

Cómo representar gráficamente una función exponencial

Haz una tabla por cada función exponencial y úsala para representar gráficamente la función.

A. $f(x) = \frac{1}{3} \cdot 3^x$

Completa la tabla.

Traza los puntos y únelos con una curva continua.

¿Es el valor de a mayor que 1?

____

x	y
−2	$\frac{1}{3} \cdot 3^{-2} = \frac{1}{3} \cdot \frac{1}{9} = \frac{1}{27}$
−1	$\frac{1}{3} \cdot 3^{-1} = \frac{1}{3} \cdot \frac{1}{3} = $ ___
0	$\frac{1}{3} \cdot 3^0 = \frac{1}{3} \cdot$ ___ $=$ ___
1	$\frac{1}{3} \cdot 3^1 = \frac{1}{3} \cdot$ ___ $=$ ___
2	$\frac{1}{3} \cdot 3^2 = \frac{1}{3} \cdot$ ___ $=$ ___

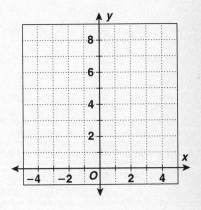

El valor de salida _____ a medida que crece el valor de entrada.

Ésta es una función de _____.

B. $f(x) = 4 \cdot \left(\frac{1}{4}\right)^x$

Completa la tabla.

Traza los puntos y únelos con una curva continua.

¿Es el valor de a mayor que 1?

____

x	y
−2	$4 \cdot \left(\frac{1}{4}\right)^{-2} = 4 \cdot 16 = 64$
−1	$4 \cdot \left(\frac{1}{4}\right)^{-1} = 4 \cdot 4 = $ ___
0	$4 \cdot \left(\frac{1}{4}\right)^0 = 4 \cdot$ ___ $=$ ___
1	$4 \cdot \left(\frac{1}{4}\right)^1 = 4 \cdot$ ___ $=$ ___
2	$4 \cdot \left(\frac{1}{4}\right)^2 = 4 \cdot$ ___ $=$ ___

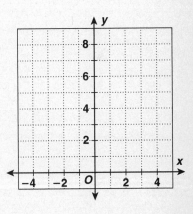

El valor de salida _____ a medida que crece el valor de entrada.

Ésta es una función de _____.

Holt Pre-Álgebra

LECCIÓN
12-7

Guía interactiva de estudio
Funciones cuadráticas

Una **función cuadrática** se escribe de la forma: $f(x) = ax^2 + bx + c$.

La gráfica de una función cuadrática es una **parábola**.

Vocabulario
parábola
función cuadrática

Cómo representar gráficamente funciones cuadráticas de la forma
$f(x) = ax^2 + bx + c$
Haz una tabla para la función cuadrática y úsala para hacer una gráfica.

$f(x) = x^2 + x - 3$

Traza los puntos y únelos con una curva continua.

x	$f(x) = x^2 + x - 3$		
−3	$f(x) = (−3)^2 + (−3) − 3$	$= 9 − 6$	$= 3$
−2	$f(x) = (\_\_\_)^2 + (−2) − 3$	$= 4 − \_\_\_$	$= \_\_\_$
−1	$f(x) = (\_\_\_)^2 + (−1) − 3$	$= 1 − \_\_\_$	$= \_\_\_$
0	$f(x) = (\_\_\_)^2 + 0 − \_\_\_$	$= \_\_ − \_\_$	$= \_\_\_$
1	$f(x) = (\_\_\_)^2 + 1 − 3$	$= \_\_ − \_\_$	$= \_\_\_$
2	$f(x) = (\_\_\_)^2 + \_\_\_ − \_\_\_$	$= \_\_ − \_\_$	$= \_\_\_$
3	_____		

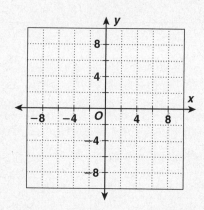

Cómo representar gráficamente funciones cuadráticas de la forma
$f(x) = a(x − r)(x − s)$
Haz una tabla para la función cuadrática y úsala para hacer una gráfica.

$f(x) = (x − 1)(x + 2)$

x	$f(x) = (x − 1)(x + 2)$		
−3	$f(x) = (−3 − 1)(−3 + 2)$	$= (−4)(−1)$	$= 4$
−2	$f(x) = (−2 − 1)(\_\_\_ + 2)$	$= (−3)(\_\_\_)$	$= \_\_\_$
−1	$f(x) = (\_\_\_ − 1)(\_\_\_ + 2)$	$= (−2)(\_\_\_)$	$= \_\_\_$
0	$f(x) = (\_\_\_ − 1)(\_\_\_ + 2)$	$= (−1)(\_\_\_)$	$= \_\_\_$
1	$f(x) = (\_\_\_ − 1)(\_\_\_ + 2)$	$= (\_\_\_)(\_\_\_)$	$= \_\_\_$

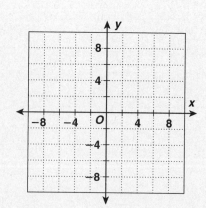

¿Dónde cruza la parábola el eje de las x? ____ y ____

¿Cómo se relacionan estos valores con la ecuación?

Holt Pre-Álgebra

Guía interactiva de estudio

LECCIÓN 12-8 *Variación inversa*

En una **variación inversa,** una variable aumenta su valor mientras la otra lo disminuye. La fórmula general de una variación inversa es:

$$xy = k \quad \text{o} \quad y = \frac{k}{x}.$$

Vocabulario
variación inversa

Cómo identificar variaciones inversas

Indica si la relación muestra una variación inversa.

Un automóvil recorre 20 millas. La tabla muestra el tiempo que el automóvil necesita para recorrer 20 millas a una velocidad determinada.

Velocidad (mi/h)	5	20	40	50
Tiempo (h)	4	1	0.5	0.4

Halla cada producto:

$5(4) = $ _____ $(20)(1) = $ _____ $(40)($ ____$) = $ _____ $(50)($ ____$) = $ _____

¿Es el producto de xy igual para cada par de números? _____

¿Es la relación una variación inversa? _____

Escribe la variación inversa: $y = \dfrac{20}{\underline{}}$.

Cómo representar gráficamente variaciones inversas

Representa gráficamente la función de variación inversa.

$$f(x) = \frac{1}{2x}$$

Haz una tabla de valores para la función. La gráfica aparecerá en los cuadrantes I y III.

x	$f(x) = \dfrac{1}{2x}$	x	$f(x) = \dfrac{1}{2x}$
-3	$f(x) = \dfrac{1}{2(-3)} = $ ____	1	$f(x) = \dfrac{1}{2()} = $ ____
-2	$f(x) = \dfrac{1}{2(-2)} = $ ____	2	$f(x) = \dfrac{1}{2()} = $ ____
-1	$f(x) = \dfrac{1}{2(-1)} = $ ____	3	$f(x) = \dfrac{1}{2()} = $ ____
$-\dfrac{1}{2}$	$f(x) = \dfrac{1}{2\left(\frac{-1}{2}\right)} = $ ____	4	$f(x) = \dfrac{1}{2()} = $ ____

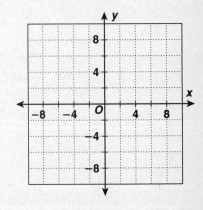

Holt Pre-Álgebra

LECCIÓN 13-1 **Guía interactiva de estudio**
Polinomios

Un **monomio** es un número o un producto de números y variables cuyos exponentes son números cabales. Un **polinomio** es un monomio o la suma o diferencia de polinomios. Los polinomios pueden clasificarse por el número de términos que contienen. Un monomio contiene 1 término, un **binomio** contiene 2 términos, un **trinomio** contiene 3 términos. Un polinomio también puede clasificarse por grado. El **grado de un polinomio** lo determina el exponente de mayor valor que hay en el polinomio.

Vocabulario
monomio
polinomio
binomio
trinomio
grado de un polinomio

Cómo identificar polinomios
Determina si cada expresión es un monomio.

A. $5x^{2.3}y$

¿Es esta expresión un producto de números y variables? ____

¿Son todos los exponentes números cabales? Explica tu respuesta.

_____

La expresión _____ un monomio.

B. $\frac{1}{3}x^4y^2$

¿Es esta expresión un producto de números y variables? ____
¿Son todos los exponentes números cabales? Explica tu respuesta.

_____

La expresión _____ un monomio.

Cómo clasificar polinomios por el número de términos
Clasifica cada expresión como un monomio, binomio, trinomio o indica si no es polinomio.

A. $20.42t - 15.73r$

¿Cuántos términos tiene la expresión? ____

¿Son monomios todos sus términos? ____

La expresión es un _____.

B. $10gh - 4g + 5h$

¿Cuántos términos tiene la expresión? ____

¿Son monomios todos sus términos? Explica tu respuesta..

_____

La expresión es un _____.

Holt Pre-Álgebra

Guía interactiva de estudio

LECCIÓN 13-2 *Cómo simplificar polinomios*

Para simplificar un polinomio puedes sumar o restar términos semejantes.
Recuerda que los términos semejantes tienen las mismas variables
elevadas a la misma potencia.

Cómo identificar términos semejantes

Identifica los términos semejantes en cada polinomio o indica si no hay
ninguno.

A. $4b^2 - 2b + 2 + 3b^2 + 4b$

¿Qué términos contienen solamente b^2 como variable? _____

¿Qué términos contienen solamente b como variable? _____

¿Qué términos son semejantes, si los hay? _____

B. $6g^2 + 5gh - 2g$

¿Qué términos contienen solamente g^2 como variable? _____

¿Qué términos contienen solamente gh como variable? _____

¿Qué términos contienen solamente g como variable? _____

¿Qué términos son semejantes, si los hay? _____

C. $5x^2y^5 - 7y^3 - 2x^2y^5 + 3x^2y^5$

¿Qué términos contienen solamente x^2y^5 como variables? _____

¿Qué términos contienen solamente y^3 como variable? _____

¿Qué términos son semejantes, si los hay? _____

Cómo simplificar polinomios combinando términos semejantes

Simplifica.

A. $4y^4 - 2y^2 - 2y^4 + 3 + 5y^4 - y^2$

Escribe los términos en orden descendente. _____

Identifica los términos que tienen las mismas variables elevadas a la misma potencia.

_____

¿Son estos términos semejantes? _____

¿Qué términos resultan de la combinación de estos términos? _____

¿Cuál es el polinomio resultante luego de la combinación de todos los términos semejantes?

_____

Holt Pre-Álgebra

Guía interactiva de estudio
LECCIÓN 13-3 *Cómo sumar polinomios*

La Propiedad asociativa de la suma establece que para cualquier valor de a, b y c, $a + b + c = (a + b) + c = a + (b + c)$. Puedes usar esta propiedad para sumar polinomios.

Cómo sumar polinomios en forma horizontal
Suma.

A. $(4x^2 + 3x - 2) + (5x + 7)$

Usa la propiedad asociativa. _____

Escribe en orden descendente. _____

Combina términos semejantes. _____

B. $(-4g^2h - 5gh - 2) + (11gh + 6g^2h + 2)$

Usa la propiedad asociativa. _____

Escribe en orden descendente. _____

Combina términos semejantes. _____

C. $(3cd^2 - 2c) + (4c - 5) + (cd^2 + 3c - 2)$

Usa la propiedad asociativa. _____

Escribe en orden descendente. _____

Combina términos semejantes _____

Cómo sumar polinomios en forma vertical
Suma.

A. $(2a^2 + 5a + 2) + (3a^2 + 4a + 1)$

Ordena los términos semejantes por columnas. $2a^2 +$ ___ $+ 2$

_____ $+ 4a +$ ___

La suma de los polinomios es _____

B. $(5x^2y + 3x - 2y) + (2x^2y - 2x + 4)$

Ordena los términos semejantes por columnas. _____ $+ 3x -$ ___

$2x^2y -$ _____ $+$ __

La suma de los polinomios es _____

Holt Pre-Álgebra

Guía interactiva de estudio

LECCIÓN 13-4 *Cómo restar polinomios*

La resta es lo contrario de la suma. Para restar un polinomio primero debes hallar su opuesto.

Cómo hallar el opuesto de un polinomio

Halla el opuesto de cada polinomio.

A. $3a^3b^5c$

El opuesto de a es _____.

El opuesto de $(3a^3b^5c)$ es ___ (_____)

El valor opuesto de $3a^3b^5c$ es _____.

B. $8a^2 - 2a$

El valor opuesto de $(8a^2 - 2a)$ es $- (8a^2$ ___ $2a)$.

Elimina los paréntesis y distribuye el signo. _____

C. $-4x^2y + 2x - 3$

El valor opuesto de $(-4x^2y + 2x - 3)$ es ___ (_____)

Elimina los paréntesis y distribuye el signo. _____

Cómo restar polinomios en forma horizontal

Resta.

A. $(m^3 + 2m - 5m^2) - (4m - 3m^2 + 2)$

Suma el opuesto. $\qquad$ $(m^3 + 2m - 5m^2) + (-4m$ ___ $3m^2$ ___ $2)$

Usa la propiedad asociativa. $\qquad$ $\underline{m^3 + 2m\text{_____} + 3m^2 - 2}$

Combina términos semejantes. $\qquad$ _____

B. $(-a^2b + 3ab - 4) - (-4a^2b + 5 - 6ab)$

Suma el opuesto. $\qquad$ $(-a^2b + 3ab - 4) + ($ _____ $)$

Usa la propiedad asociativa. $\qquad$ _____

Combina términos semejantes. $\qquad$ _____

Holt Pre-Álgebra

Nombre _____ Fecha _____ Clase _____

Recuerda que al multiplicar dos potencias con la misma base, se suman los exponentes. Para multiplicar dos monomios, multiplica primero los coeficientes y luego suma los exponentes de las variables que son iguales.

Cómo multiplicar monomios
Multiplica.

A. $(2a^3b^4)(3a^2b^3)$

¿Qué debes hacer para resolver $a^3 \cdot a^2$, sumar los exponentes

o multiplicarlos? _____

$a^3 \cdot a^2 =$ _____

$b^4 \cdot b^3 =$ _____

$$(2a^3b^4)(3a^2b^3) = $$ _____

B. $(5y^2z)(-2x^2y^4z)$

$y^2 \cdot y^4 =$ _____

$z \cdot z =$ _____

¿Aparecerá x^2 en el producto? _____

$$(5y^2z)(-2x^2y^4z) = $$ _____

Cómo multiplicar un polinomio por un monomio
Multiplica.

A. $2x(y + z)$

¿Cuáles son los términos entre paréntesis en $2x(y + z)$? _____

¿Qué término debe multiplicarse por y y z? _____

$2x \cdot y =$ _____

$2x \cdot z =$ _____

$2x(y + z) =$ _____

B. $-3x^3y^2(5x^2y + 4x^4y^3)$

¿Cuáles son los términos entre paréntesis? _____

¿Qué término debe multiplicarse por $5x^2y$ y $4x^4y^3$? _____

¿Qué haces para hallar la solución, sumar los exponentes o multiplicarlos? _____

$-3x^3y^2 \cdot 5x^2y =$ _____

$-3x^3y^2 \cdot 4x^4y^3 =$ _____

$-3x^3y^2(5x^2y + 4x^4y^3) =$ _____

Holt Pre-Álgebra

Nombre _____ Fecha _____ Clase _____

Guía interactiva de estudio
Cómo multiplicar binomios

Para multiplicar dos binomios puedes usar la propiedad distributiva.
El producto puede escribirse con el método de **FOIL:** los primeros
términos (**F**irst), los términos externos (**O**uter), los términos internos
(**I**nner) y los últimos términos (**L**ast).

Vocabulario
FOIL

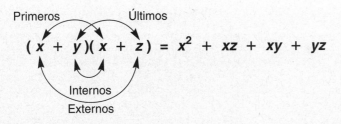

Primeros   Últimos

$(x + y)(x + z) = x^2 + xz + xy + yz$

Internos
Externos

Cómo multiplicar dos binomios
Multiplica.

A. $(a + 2)(5 - b)$

¿Cuáles son los "Primeros" términos, incluido el signo? _____

¿Cuál es el resultado de la combinación de los "Primeros" términos? _____

¿Cuales son los términos "Externos"? _____

¿Cuál es el resultado de la combinación de los términos "Externos"? _____

¿Cuales son los términos "Internos" y el resultado de su combinación? _____

¿Cuales son los "Últimos" términos y el resultado de su combinación? _____

$(a + 2)(5 - b) = 5a$ _____ $- 2b$

B. $(x + 4)(x + 3)$

¿Cuáles son los "Primeros" términos, incluido el signo? _____

¿Es el término 2x parte del razonamiento para hallar la solución? _____

¿Cuál es el resultado de la combinación de los "Primeros" términos? _____

¿Cuales son los términos "Externos" y el resultado de su combinación? _____

¿Cuales son los términos "Internos" y el resultado de su combinación? _____

¿Cuales son los "Últimos" términos y el resultado de su combinación? _____

Identifica términos semejantes y combínalos. _____

$(x + 4)(x + 3) =$ _____

Holt Pre-Álgebra

LECCIÓN
14-1 Guía interactiva de estudio
Conjuntos

Un **conjunto** es un grupo de objetos llamados **elementos.** El símbolo ∈ quiere decir "pertenece a". El enunciado 3∈ {números impares} quiere decir "3 pertenece al conjunto de los números impares". El símbolo ∉ quiere decir "no pertenece a". El enunciado 2∉ {números impares} quiere decir "2 no pertenece al conjunto de los números impares". El conjunto *A* es un **subconjunto** del conjunto *B* si todos los elementos del conjunto *A* también pertenecen al *B*. El símbolo ⊂ quiere decir "es subconjunto de". El símbolo ⊄ quiere decir "no es subconjunto de". Un **conjunto finito** contiene un número determinado de elementos que se pueden contar. Un **conjunto infinito** contiene un número infinito o interminable de elementos.

Vocabulario
elemento
conjunto finito
conjunto infinito
conjunto
subconjunto

Cómo identificar los elementos de un conjunto
Escribe el símbolo correcto para hacer verdadero cada enunciado.

A. 27 _____ {números divisibles entre 3}

{números divisibles entre 3} quiere decir "el conjunto de

_____ que son _____"

¿Es 27 divisible entre 3? _____

Por tanto, ¿27 pertenece al conjunto de números divisibles entre 3? _____

¿Qué símbolo significa "pertenece a"? ____

Completa el enunciado: 27____ {números divisibles entre 3}.

B. tiburones _____ {animales que viven en el desierto}

¿Los tiburones viven en el desierto? _____

Por tanto, ¿los tiburones pertenecen al conjunto de animales que viven

en el desierto? _____

¿Qué símbolo significa "no pertenece a"? ____

Completa el enunciado: tiburones _____ {animales que viven en el desierto}.

C. △ _____ {paralelogramos}

{paralelogramos} quiere decir "el conjunto de _____"

¿Es el triángulo un paralelogramo? _____

¿Qué símbolo significa "no pertenece a"? ____

Por tanto, △ _____ {paralelogramos}.

Holt Pre-Álgebra

Guía interactiva de estudio

LECCIÓN 14-2 *Intersección y unión*

La **intersección** de los conjuntos *A* y *B* es el conjunto de todos los elementos que pertenecen tanto a *A* como a *B*. Para indicar la intersección de *A* y *B*, escribe *A* ∩ *B*. El conjunto sin elementos se conoce como **conjunto vacío,** o *conjunto nulo.* El símbolo que representa al conjunto vacío es { } o ∅. La **unión** de los conjuntos *Q* y *R* es el conjunto de todos los elementos que pertenecen a *Q* o *R*. Para indicar la unión de *Q* y *R*, escribe *Q* ∪ *R*.

Vocabulario
conjunto vacío
intersección
unión

Cómo hallar la intersección de dos conjuntos
Halla la intersección de los conjuntos.

A. *A* = {5, 10, 15, 20}   *B* = {10, 20, 30, 40}

¿Qué elementos partenecen tanto a *A* como a *B*? _____

¿Es correcto decir que estos dos números representan la intersección

de *A* y *B*? _____

¿Qué símbolo representa la "intersección de" A y B? ____

Completa *A* ___ *B* = _____.

B. *Q* = {enteros negativos} *C* = {números cabales}

¿Puede un entero negativo ser un número cabal? _____

¿Puede un número cabal ser un entero negativo? _____

¿Existe algún número que sea un entero negativo y un número cabal a la vez? _____
Por tanto, *Q* ∩ *C* = _____.

C. *T* = {*x* | *x* > 20}   *V* = {*x* | *x* < 30}

{*x* | *x* > 20} quiere decir "el conjunto de _____ los números *x* _____ *x* > 20".

{*x* | *x* < 30} quiere decir "el conjunto de _____ los números *x* _____ *x* < 30".

Identifica los números cabales de *T* ∩ *V*. _____

Completa: *T* ∩ *V* = {*x* | _____}

Cómo hallar la unión de dos conjuntos
Halla la unión de los conjuntos.

Z = {0, −2, −4, −6}   *Y* = {0, 2, 4, 6}

La unión de los conjuntos *Z* y *Y* se define como

_____.

¿Hay elementos que pertenecen a ambos conjuntos? _____

¿Cuántas veces representarías un elemento que aparece en ambos conjuntos? _____

La unión de *Z* y *Y* puede expresarse con símbolos como: _____

Holt Pre-Álgebra

Nombre_____ Fecha_____ Clase_____

Un **diagrama de Venn** es un esquema que muestra las relaciones que existen entre conjuntos. En un diagram de Venn se usan círculos para representar los conjuntos. Cuando dos círculos se sobreponen, la región compartida por ambos representa la intersección de los dos conjuntos.

Cómo dibujar diagramas de Venn
Dibuja un diagrama de Venn que muestre la relación entre los conjuntos.

Factores de 20: {1, 2, 5, 10, 20}

Factores de 24: {1, 2, 4, 6, 8, 12, 24}

¿Qué enteros pertenecen tanto a {1, 2, 5, 10, 20} como a {1, 2, 4, 6, 8, 12}? _____

La intersección de los conjuntos es _____.

Completa el diagrama de Venn.

Cómo analizar diagramas de Venn
Usa el diagrama de Venn para identificar intersecciones, uniones y subconjuntos.

A.

¿Qué elementos pertenecen tanto a P como a Q? _____

¿Qué elementos pertenecen a P o a Q?

_____

Intersección: $P \cap Q =$ _____

Unión: $P \cup Q =$ _____

Subconjuntos: _____

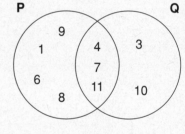

B.

¿Todos los elementos de B también pertenecen a A? _____
Intersección: $A \cap B =$ _____

¿Tienen A y C elementos en común? _____
Intersección: $A \cap C =$ _____

¿Tienen B y C elementos en común? _____
Intersección: $B \cap C =$ _____

¿Está B completamente dentro de A? _____
Unión: $A \cup B =$ _____

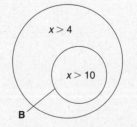
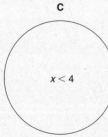

Holt Pre-Álgebra

Guía interactiva de estudio

LECCIÓN 14-4 *Enunciados compuestos*

Un **enunciado compuesto** se forma por la unión de dos o más enunciados simples. Si *P* y *Q* representan enunciados simples, entonces el enunciado compuesto *P* y *Q* es una **conjunción.** El **valor de verdad** de un enuncido sólo puede ser *verdadero* o *falso*. Una **tabla de verdad** es una manera de mostrar el valor de verdad de un enunciado compuesto según el orden de los valores de verdad de los enunciados simples que lo forman. Un enunciado compuesto de la forma *P* o *Q* es una **disyunción.**

Vocabulario
enunciado compuesto
conjunción
disyunción
tabla de verdad
valor de verdad

Cómo hacer una tabla de verdad para una conjunción

Haz una tabla de verdad para la conjunción *P* y *Q*, donde *P* sea "una persona electa para el senado de Estados Unidos debe tener no menos de 30 años de edad" y *Q* sea "una persona electa para el senado de Estados Unidos debe haber sido ciudadano estadounidense al menos los últimos 9 años". Completa la columna de la izquierda con cualquier número del rango correcto.

La conjunción *P* y *Q* es "una persona electa para el senado de Estados Unidos debe tener no menos de 30 años de edad y haber sido ciudadano estadounidense al menos los últimos 9 años".

Ejemplo	*P*	*Q*	*P* y *Q*
Devon tiene _____ años de edad y ha sido ciudadano estadounidense por _____ años.	Verdadero	Verdadero	_____
Devon tiene _____ años de edad y ha sido ciudadano estadounidense por _____ años.	Verdadero	Falso	_____
Devon tiene _____ años de edad y ha sido ciudadano estadounidense por _____ años.	Falso	Verdadero	_____
Devon tiene _____ años de edad y ha sido ciudadano estadounidense por _____ años.	Falso	Falso	_____

Holt Pre-Álgebra

LECCIÓN 14-5 Guía interactiva de estudio
Razonamiento deductivo

Un **enunciado condicional,** o **enunciado *si, entonces*,** es un enunciado compuesto de la forma "Si *P*, entonces *Q*". El enunciado *P* es la **hipótesis,** y el enunciado *Q* es la **conclusión.**

Si el enunciado condicional es verdadero y puede usarse en una situación donde la hipótesis sea verdadera, puedes usar el **razonamiento deductivo** para indicar que la conclusión es verdadera. Puede haber más de un enunciado condicional en un argumento deductivo. Los enunciados son las **premisas** del argumento y todos deben ser verdaderos para que la conclusión sea verdadera.

Vocabulario
conclusión
enunciado condicional
razonamiento deductivo
hipótesis
enunciado *si, entonces*
premisa

Cómo identificar hipótesis y conclusiones
Identifica la hipótesis y la conclusión en cada enunciado condicional.

A. Si él termina su trabajo antes de las 3:00 pm, entonces puede ir de pesca.
¿Qué enunciado va después de la palabra *si*?

_____

¿Qué enunciado va después de la palabra *entonces*?

_____

B. Si un animal tiene pelo, entonces es un mamífero.

¿Es éste un enunciado condicional? _____

¿Cuál es la hipótesis? _____

¿Qué enunciado va después de la palabra *entonces*? _____

¿Cuál es la conclusión? _____

Cómo usar el razonamiento deductivo
Haz una conclusión, si es posible, a partir del siguiente argumento deductivo.

Si la suma de los ángulos internos de un polígono es igual a 180°, el polígono es un triángulo.

¿Cuál es la hipótesis?

_____.

¿Cuál es la conclusión? _____.

Los ángulos internos de la figura *ABC* tienen las siguientes medidas: 90°, 60° y 30°. La suma de los ángulos es _____

Conclusión: La figura *ABC* es un _____.

Holt Pre-Álgebra

Guía interactiva de estudio

LECCIÓN 14-6 *Redes y circuitos de Euler*

Según una rama de las matemáticas llamada *teoría de las graficas,* una **gráfica** es una **red** de puntos unidos por arcos o segmentos de recta. Los puntos se conocen como **vértices.** Los segmentos o arcos que los unen se llaman **aristas.** Una **trayectoria** es la dirección que siguen las rectas de un vértice a otro. Una gráfica es una **gráfica cerrada** si hay una trayectoria entre todos los vértices. El **grado** de un vértice es el número de aristas que tocan el vértice. Un **circuito** es una trayectoria que inicia y termina en un mismo vértice sin pasar por las aristas más de una vez. El **circuito de Euler** pasa por todas las aristas de una gráfica cerrada.

Vocabulario
circuito
gráfica cerrada
grado (de un vértice)
arista
circuito de Euler
gráfica
red
trayectoria
vértice

Cómo identificar el grado de un vértice y cómo determinar si una gráfica es cerrada

Halla el grado de cada vértice y determina si la gráfica es cerrada.

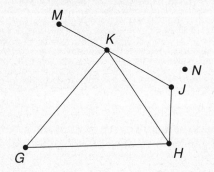

Vértice	Grado
G	___
H	___
J	___
K	___
M	___
N	___

¿Cuántas aristas se unen en el vértice *G.* ___

¿Cuál es el grado del vértice *G*? ___

¿Cuál es el grado del vértice *N*? ___

¿Hay una trayectoria entre todos los vértices? _____

¿Qué vértice no se localiza en la trayectoria? ___

¿Es ésta una gráfica cerrada? _____

Completa la tabla con el grado de cada vértice.

Holt Pre-Álgebra

Guía interactiva de estudio

Circuitos de Hamilton

Un **circuito de Hamilton** es una trayectoria que inicia y termina en
el mismo vértice y pasa por todos los vértices una sola vez. En un
circuito de Hamilton la trayectoria no necesita recorrer cada arista.

Vocabulario
circuito de Hamilton

Cómo hallar circuitos de Hamilton

Halla un circuito de Hamilton en la gráfica después de responder las
preguntas.

¿Tienes que elegir un vértice *inicial*? _____

¿Tienes que pasar una vez por cada uno de los vértices? _____

¿Puedes recorrer una trayectoria más de una vez? _____

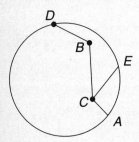

¿Tienes que recorrer cada una de las aristas? _____

¿Es aceptable recorrer todas las aristas? _____

¿Tienes que terminar la trayectoria en el vértice *inicial*? _____

¿Puede haber más de un circuito? _____   _____

Aplicación a la resolución de problemas

Usa la información de la gráfica para responder las preguntas.

Si quisieras hallar el circuito más largo a partir del vértice *A*, ¿qué

arista tendrías que incluir? _____

¿Cuál es el circuito más largo? _____ o _____

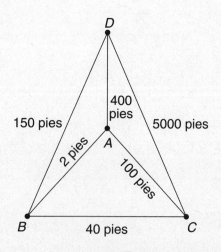

Holt Pre-Álgebra

Guía interactiva de estudio
1-1 Expresiones y variables

Una **variable** representa un valor que puede cambiar. El valor de una variable se puede **sustituir** en una **expresión algebraica** para **evaluar** la expresión.

Vocabulario
expresión algebraica
evaluar
sustituir
variable

Cómo evaluar expresiones algebraicas con una variable
Evalúa la expresión con el valor dado para la variable.
$b + 9$ para $b = 5$

$\underline{5} + 9$ ¿Con qué valor debes sustituir b?

$\underline{14}$ Suma.

Cómo evaluar expresiones algebraicas con dos variables
Evalúa cada expresión con los valores dados para las variables.

A. $a + 4b$ para $a = 10$ y $b = 2.5$

$\underline{10} + 4\,\underline{(2.5)}$ ¿Con qué valores debes sustituir a y b?

$\underline{10} + \underline{10}$ ¿Qué operación haces primero?   multiplicación

$\underline{20}$ Suma.

B. $3.5m - 2n$ para $m = 8$ y $n = 5$

$3.5\,\underline{(8)} - 2\,\underline{(5)}$ ¿Con qué valores debes sustituir m y n?

$\underline{28} - \underline{10}$ Encuentra cada producto.

$\underline{18}$ Resta.

Aplicación a la geometría
Si m es el número de lados de un polígono regular, entonces $180(m - 2)$ puede usarse para encontrar la suma de los ángulos. Encuentra la suma de las medidas de los ángulos de un octágono.

$180(m - 2)$ ¿Cuántos lados tiene un octágono? $\underline{8}$

$180(\underline{8} - 2)$ Sustituye m con este valor.

$180(\underline{6})$ ¿Qué harás a continuación?   Simplificar la operación entre paréntesis.

$\underline{1080}$ ¿Cuál es el producto?

La suma de las medidas de los ángulos de un octágono es $\underline{1080}°$.

Guía interactiva de estudio
1-2 Algo para saber: Escritura de expresiones algebraicas

Los problemas expresados con palabras se pueden escribir como expresiones algebraicas.

Cómo convertir problemas verbales en expresiones algebraicas
Escribe una expresión algebraica para cada problema escrito con palabras.

A. El producto de 12 y un número x

¿Qué operación indica la palabra "producto"?   multiplicación

¿Cuáles son los dos números que usarás? 12 y x

Escribe una expresión matemática. $12 \bullet x$ ó $12x$

B. 10 más que un número z

¿Qué operación representa la frase "más que"?   suma

¿Cuáles dos números debes usar? 10 y z

Escribe una expresión matemática. $z + 10$

Cómo interpretar qué operación se usa en problemas expresados con palabras

A. James compra fruta en el mercado. Cada kiwi cuesta 22 centavos. El total que paga James por k kiwis es el producto de k y 22 centavos. Escribe una expresión para determinar cuánto paga James.

¿Qué operación se necesita?   multiplicación

Escribe una expresión. $22 \bullet k$ ó $22k$

B. Si James compra 6 kiwis, ¿cuál es el costo total?

Evalúa la expresión del ejercicio A para $k = \underline{6}$.

$22\,\underline{(6)} = \underline{132}$

James gastará $\underline{132}$ centavos o $\$\underline{1.32}$ en los kiwis.

Cómo escribir y evaluar expresiones para resolver problemas expresados con palabras
Hay 64 rebanadas de pizza que van a ser compartidas en partes iguales entre p personas. Si hay 16 personas, ¿cuántas rebanadas recibe cada persona?

¿Qué operación se necesita?   división

Escribe la expresión con p. $64 \div p$

Evalúa la expresión: $64 \div \underline{16} = \underline{4}$

Cada persona recibe $\underline{4}$ rebanadas de pizza.

Guía interactiva de estudio
1-3 Cómo resolver ecuaciones con sumas y restas

Una **ecuación** es un enunciado matemático que muestra la igualdad entre dos expresiones. La suma y la resta son **operaciones inversas** que se usan para **resolver** ecuaciones.

Vocabulario
ecuación
operación inversa
resolver

Cómo determinar si un número es la solución de una ecuación
Determina qué valor de n es la solución de la ecuación.
$14 + n = 25$; $n = 5$ u 11

Sustituye cada valor de n en la ecuación.
$14 + n = 25$

$14 + \underline{5} = 25$ Sustituye el primer valor de n, $n = 5$.

$\underline{19} = 25$ ¿Cuál es la suma?

    ¿Es correcta la ecuación resultante?   no

    ¿Es $n = 5$ la solución de la ecuación?   no

$14 + n = 25$

$14 + \underline{11} = 25$ Sustituye el segundo valor de n, $n = 11$.

$\underline{25} = 25$ ¿Cuál es la suma?

    ¿Es $n = 11$ la solución de la ecuación?   sí

Cómo resolver ecuaciones con las propiedades de la suma y la resta
Resuelve.

$y - 10 = 15$

$\underline{+10} \; \underline{+10}$ ¿Qué número debes sumar en ambos lados?

$y + 0 = \underline{25}$ Suma.

$y = \underline{25}$ ¿Qué propiedad indica que $y + 0 = y$?   la propiedad de identidad del cero

Comprueba: $y - 10 = 15$

$\underline{25} - 10 \overset{?}{=} 15$ ¿Qué valor sustituyes en la ecuación para comprobar la solución?

$\underline{15} \overset{?}{=} 15$ ¿Es correcta la solución?   sí

Guía interactiva de estudio
1-4 Cómo resolver ecuaciones con multiplicaciones y divisiones

Las ecuaciones que tienen una multiplicación o división se pueden resolver mediante operaciones inversas.

Cómo resolver ecuaciones con divisiones
Resuelve. $8n = 64$

$8n = 64$

$\dfrac{8n}{8} = \dfrac{64}{8}$ ¿Entre qué número debes dividir ambos lados?

$1n \overset{?}{=} \underline{8}$ ¿Cuál es el cociente?

$n = \underline{8}$ Recuerda: $1 \bullet n = \underline{n}$

Comprueba: $8n = 64$

$8 \bullet \underline{8} = 64$ ¿Qué valor debes sustituir en la ecuación para comprobar la solución?

$\underline{64} \overset{?}{=} 64$ ¿Cuál es el producto?

    ¿Es $n = 8$ la solución de la ecuación?   sí

Cómo resolver ecuaciones con multiplicaciones
Resuelve. $\dfrac{m}{6} = 9$

$\dfrac{m}{6} = 9$

$6 \bullet \dfrac{m}{6} = 9 \bullet \underline{6}$ ¿Qué es lo opuesto de dividir entre 6?   multiplicar por 6

$m = \underline{54}$ Multiplica.

Comprueba: $\dfrac{m}{6} = 9$

$\dfrac{\underline{54}}{6} \overset{?}{=} 9$ ¿Qué valor debes sustituir en la ecuación para comprobar la solución?

$\underline{9} \overset{?}{=} 9$ ¿Cuál es el cociente?

    ¿Es $m = 54$ la solución de la ecuación?   sí

Copyright © by Holt, Rinehart and Winston. All rights reserved.

1   2   3   4   113
Holt Pre-Álgebra

Guía interactiva de estudio
Cómo resolver desigualdades simples

Una **desigualdad** es un enunciado matemático que usa los símbolos $<$, $>$, $\geq$ ó $\leq$. La **solución de una desigualdad** es un **conjunto de soluciones** que se pueden representar en una recta numérica.

Vocabulario
desigualdad
solución de una desigualdad
conjunto de soluciones

Cómo completar una desigualdad
Usa $<$ ó $>$ para completar la desigualdad.

$15 + 6$ [?] 25

$\underline{21}$ [?] 25 ¿Cuál es la suma de 15 y 6?

$\underline{21}$ [$<$] 25 Pon el signo correcto en la desigualdad.

Cómo resolver y representar gráficamente las desigualdades
Resuelve y representa gráficamente cada desigualdad.

A. $m - 12 > 8$

$m - 12 > 8$

$\underline{+12} \quad \underline{+12}$ ¿Qué número debes sumar en ambos lados?

$m > \underline{20}$ ¿Cuál es la suma?

¿Debe mostrar la gráfica un círculo abierto o cerrado? **abierto**

¿Debe apuntar la flecha a la izquierda o a la derecha? **a la derecha**

15 16 17 18 19 20 21 22 23 24 25

B. $\frac{a}{4} < 7$

$\underline{4} \cdot \frac{a}{4} < 7 \cdot \underline{4}$ ¿Por qué número debes multiplicar ambos lados?

$a < \underline{28}$ ¿Cuál es el producto?

¿Debe mostrar la gráfica un círculo abierto o cerrado? **abierto**

¿Debe apuntar la flecha a la izquierda o a la derecha? **a la izquierda**

20 21 22 23 24 25 26 27 28 29 30

C. $b + 18 \leq 32$

$b + 18 \leq 32$

$\underline{-18} \quad \underline{-18}$ ¿Qué número debes restar en ambos lados?

$b \leq \underline{14}$ Resta.

¿Debe mostrar la gráfica un círculo abierto o cerrado? **cerrado**

10 11 12 13 14 15 16 17 18 19 20

¿Debe apuntar la flecha a la izquierda o a la derecha? **a la izquierda**

Guía interactiva de estudio
Cómo combinar términos semejantes

Si los términos tienen la misma variable, elevada a la misma potencia, son **términos semejantes**. Al combinar los términos semejantes se **simplifica** una expresión.

Vocabulario
término
semejante
simplificar

Cómo combinar términos semejantes para simplificar
Combina los términos semejantes. $9n + 8 - 5n + 10$

$9n + 8 - 5n + 10$ Identifica los términos semejantes. $\underline{9n \text{ y } 5n, \ 8 \text{ y } 10}$

$9n - \underline{5n} + 8 + \underline{10}$ Combina los coeficientes de los términos semejantes.

$\underline{4}\,n + \underline{18}$ ¿Cuál es el coeficiente de n? ¿Cuál es la constante?

Cómo combinar términos semejantes en expresiones de dos variables
Combina los términos semejantes.

A. $3x + 10x + 2y + 5y$

$\boxed{(3x) + (10x)} + \boxed{2y + 5y}$ Identifica los términos semejantes. Encierra en un círculo los términos que tengan la variable x. Encierra en un cuadrado los términos que tengan la variable y.

$\underline{13}x + \underline{7}y$ Combina los coeficientes de los términos semejantes.

B. $7m + 3n - m + 8n - 6$

$(7m) + \boxed{3n} - (m) + \boxed{8n} - 6$ Identifica los términos semejantes. Encierra en un círculo los términos que tengan la variable m. Encierra en un cuadrado los términos que tengan la variable n. Escribe la expresión con los términos semejantes juntos. ¿Cuál es el coeficiente del término m?

$7m - \underline{1}m + 3n + 8n - 6$

$\underline{6}m + \underline{11}n - 6$ Combina los coeficientes de los términos semejantes.

C. $8a - 5b + 18$

$(8a) - \boxed{5b} + 18$ Identifica los términos semejantes. Encierra en un círculo los términos que tengan la variable a. Encierra en un cuadrado los términos que tengan la variable b.

¿Puedes simplificar esta expresión?

no

Cómo simplificar expresiones algebraicas combinando términos semejantes
Simplifica. $3(6x + 5) - 4x + 12$

$3(6x + 5) - 4x + 12$ Usa la propiedad **distributiva** para quitar los paréntesis.

$3 \cdot \underline{6x} + 3 \cdot \underline{5} - 4x + 12$

$\underline{18}x + \underline{15} - 4x + 12$ Multiplica.

$\underline{18}x - 4x + \underline{15} + 12$ Escribe la expresión con los términos semejantes juntos.

$\underline{14}x + \underline{27}$ Simplifica. ¿Cuál es el coeficiente de x? ¿Cuál es la constante?

Guía interactiva de estudio
Pares ordenados

Un **par ordenado** es una manera de expresar la solución de una ecuación.

Vocabulario
par ordenado

Cómo decidir si un par ordenado es la solución de una ecuación
Determina si el par ordenado es la solución de $y = 6x - 4$.

$(3, 14)$ $y = 6x - 4$ ¿Con qué número sustituyes x?

$\underline{14} \stackrel{?}{=} 6(\underline{3}) - 4$ ¿Con qué número sustituyes y?

$\underline{14} \stackrel{?}{=} \underline{14}$ Evalúa el lado derecho de la ecuación.

¿Es $(3, 14)$ la solución de la ecuación? Explica tu respuesta **sí; 14 = 14**

Cómo hacer una tabla de soluciones con pares ordenados
Usa los valores dados para crear una tabla de soluciones. $y = 2x + 2$ para $x = 0, 1, 2, 3$

Sustituye cada valor de x en la ecuación. Completa los espacios en blanco de la tabla.

x	$2x + 2$	y	(x, y)
0	$2(0) + 2$	2	$(0, 2)$
1	$2(\underline{1}) + 2$	$\underline{4}$	$(1, \underline{4})$
2	$2(\underline{2}) + 2$	$\underline{6}$	$(2, \underline{6})$
3	$2(\underline{3}) + 2$	$\underline{8}$	$(3, \underline{8})$

Aplicación
Al rentar una bicicleta en City Park, Joe debe dejar un depósito y pagar un costo por hora. Si el costo por hora es $5 y el depósito $15, el costo c de renta de una bicicleta por h horas se determina con la ecuación: $c = 5h + 15$.

A. ¿Cuánto pagará Joe si renta la bicicleta por 4 horas?

$c = 5h + 15$

$c = 5(\underline{4}) + 15$ ¿Con qué número debes sustituir h?

$c = \underline{35}$ Evalúa.

Joe pagará $\underline{35}$ por rentar una bicicleta por 4 horas.

La solución se puede escribir como $(4, \underline{35})$.

B. ¿Cuánto pagará Joe si renta la bicicleta por 6 horas?

$c = 5h + 15$

$c = 5(\underline{6}) + 15$ ¿Con qué número debes sustituir h?

$c = \underline{45}$ Evalúa.

Joe pagará $\underline{45}$ por rentar una bicicleta por 6 horas.

La solución se puede escribir como $\underline{(6, 45)}$.

Guía interactiva de estudio
Cómo hacer gráficas en un plano cartesiano

Un **plano cartesiano** tiene una recta numérica horizontal llamada **eje de las x** y una recta numérica vertical llamada **eje de las y**. El punto en el que se intersectan ambas rectas es el **origen**. La **coordenada x** indica el movimiento a la izquierda o a la derecha. La **coordenada y** indica el movimiento hacia arriba o hacia abajo.

Vocabulario
plano cartesiano
origen
eje de las x
coordenada x
eje de las y
coordenada y

Cómo encontrar las coordenadas de los puntos en un plano
Escribe las coordenadas de cada punto.

A. Punto E

¿Está el punto E a la izquierda o a la derecha del origen? **derecha**

¿Cuántas unidades? $\underline{3}$

¿Es la coordenada x positiva o negativa? **positiva**

¿Está el punto E arriba o abajo del origen? **arriba**

¿Cuántas unidades? $\underline{2}$

¿Es la coordenada y positiva o negativa? **positiva**

¿Cuáles son las coordenadas del punto E? $\underline{(3, 2)}$

B. Punto F Este punto está a la **izquierda** del origen $\underline{2}$ unidades. El signo es **negativo**

¿A cuántas unidades debajo del origen se encuentra el punto F? $\underline{4}$

¿Cuáles son las coordenadas del punto F? $\underline{(-2, -4)}$

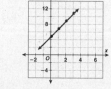

Cómo hacer la gráfica de una ecuación
Completa la tabla de pares ordenados. Haz la gráfica de la ecuación en un plano cartesiano. $y = 2x + 5$

x	$2x + 5$	y	(x, y)
0	$2(0) + 5$	$\underline{5}$	$(0, \underline{5})$
1	$2(1) + 5$	$\underline{7}$	$(1, \underline{7})$
2	$2(\underline{2}) + 5$	$\underline{9}$	$(2, \underline{9})$
3	$2(\underline{3}) + 5$	$\underline{11}$	$(3, \underline{11})$

Traza los puntos de la tabla en el plano cartesiano.
El primer punto es $(0, 5)$. Busca el 0. ¿Qué te dice este valor?

El punto está en el eje de las y, pero no avanza ni a la izquierda ni a la derecha.

Ahora busca el 5. ¿Te dice que está arriba o abajo?

arriba, porque es positivo

Traza el resto de los puntos y únelos con una línea recta.

Cómo interpretar gráficas y tablas

Cómo representar situaciones mediante tablas

Marcy, Susie y Brian trabajan en una compañía de mensajería. La tabla muestra cuántos paquetes entregó cada persona cada día durante cuatro días. Di qué persona corresponde a cada situación descrita.

Día	1	2	3	4
Persona 1	100	140	0	100
Persona 2	150	130	150	0
Persona 3	80	85	100	90

A. El día 2, Brian tuvo más entregas que en el día 1 y el día 3 se reportó enfermo.

¿Quiénes tuvieron un aumento en el número de paquetes del día 1 al día 2? la persona 1 y la persona 3

¿Cuántos paquetes entrega una persona que se reporta enferma? 0

Según la tabla, ¿qué persona se reportó enferma el día 3? la persona 1

¿Qué persona de la tabla es Brian? persona 1

B. Como Marcy es nueva en el empleo, entregó menos paquetes que los demás los días 1 y 2.

¿Quién entregó menos paquetes los días 1 y 2? la persona 3

¿Qué persona de la tabla es Marcy? la persona 3

C. Susie realizó más entregas que las demás personas el día 1. Sus entregas disminuyeron ligeramente el día 2 y tomó un descanso el día 4.

¿Quién realizó más entregas el día 1? la persona 2

¿Cuántos paquetes entrega una persona que toma un descanso de un día? 0

¿Qué persona entregó esta cantidad de paquetes el día 4? la persona 2

¿Qué persona de la tabla es Susie? la persona 2

Cómo sumar enteros

Los números cabales, sus **opuestos** y el cero forman el conjunto de números **enteros**. El **valor absoluto** es la distancia a la que se encuentra un número del 0 en una recta numérica.

Vocabulario
valor absoluto
entero
opuesto

Cómo usar una recta numérica para sumar enteros
Usa una recta numérica para encontrar la suma.

$3 + (-8)$

A partir de cero, ¿en qué dirección debes avanzar primero? a la derecha

¿Cuántas unidades? 3 A partir de aquí ¿en qué dirección debes avanzar? a la izquierda ¿Por qué? porque -8 es un número negativo

$-5 -4 -3 -2 -1\ 0\ 1\ 2\ 3\ 4\ 5$

¿Cuántas unidades? 8 Debes terminar en -5

Por lo tanto, $3 + (-8) = -5$.

Al sumar enteros con el *mismo* signo, encuentra la suma de los valores absolutos. El resultado deberá tener el mismo signo que los enteros.

Al sumar enteros con signos *diferentes*, encuentra la diferencia de los valores absolutos. El resultado deberá tener el signo del mayor valor absoluto.

Cómo usar el valor absoluto para sumar enteros
Suma.

A. $-4 + (-6)$ ¿Cuál es la suma de 4 y 6? 10
$-4 + (-6)$ ¿Son los signos iguales o diferentes? iguales
-10 El signo del resultado debe ser negativo.

B. $2 + (-7)$ ¿Cuál es la diferencia entre 7 y 2? 5
$2 + (-7)$ ¿Es el resultado positivo o negativo? negativo
-5 ¿Cómo lo sabes? porque $7 > 2$

Cómo evaluar expresiones que tienen enteros
Evalúa $t + 17$ para $t = -6$.
$t + 17$
$(-6) + 17$ ¿Con qué valor debes sustituir t? -6
   ¿Cuál es la diferencia entre 17 y 6? 11
$-6 + 17 = 11$ ¿Es 17 mayor o menor que 6? $>$
   Por lo tanto, el signo debe ser positivo.

Cómo restar enteros

Restar un entero es lo mismo que sumarle su opuesto.
$a - b = a + (-b)$ $a - (-b) = a + b$

Cómo restar enteros

A. $-7 - 9$
$-7 - 9 = -7 + (-9)$ ¿Cuál es el opuesto de 9? -9
$= -16$ ¿Cuánto es 7 + 9? 16
   ¿Son los signos iguales o diferentes? iguales
   ¿Es el resultado positivo o negativo? negativo

B. $3 - (-5)$
$3 - (-5) = 3 + 5$ ¿Cuál es el opuesto de -5? 5
$= 8$ ¿Cuánto es 3 + 5? 8
   Como los signos son iguales, el resultado es positivo

Cómo evaluar expresiones que tienen enteros
Evalúa cada expresión con el valor dado a la variable.

A. $9 - w$ para $w = -7$
$9 - w$
$9 - (-7)$ ¿Con qué valor debes sustituir w? -7
$9 + 7$ ¿Cuál es el opuesto de -7? 7
16 ¿Cuánto es 9 + 7? 16
   ¿Es el resultado positivo o negativo? positivo

B. $-6 - k$ para $k = -11$
$-6 - k$ ¿Con qué valor debes sustituir k? -11
$-6 - (-11)$ ¿Cuál es el opuesto de -11? 11
$-6 + 11$ ¿Qué número es mayor, 11 ó 6? 11
5 ¿Es el resultado positivo o negativo? positivo

Aplicación
Un clavadista se lanza a una piscina de una plataforma de 15 m de altura. En total, desciende 18 m. ¿A qué profundidad descendió dentro del agua?

¿Cuál es la altura de la plataforma? 15 m ¿Qué distancia descendió el clavadista? 18 m

Resta la distancia que descendió de la altura de la plataforma.

$15 + (-18) = -3$ ¿Es el resultado "+" o "−"? −

El clavadista descendió 3 metros bajo el agua.

Cómo multiplicar y dividir enteros

El producto o cociente de dos números con el mismo signo siempre es positivo.
$(+) \cdot (+) = (+)$ ó $(-) \cdot (-) = (+)$

El producto o cociente de dos números con signos diferentes siempre es negativo.
$(+) \cdot (-) = (-)$ ó $(-) \cdot (+) = (-)$

Cómo multiplicar y dividir enteros
Multiplica o divide.

A. $8(-5)$ ¿Son los signos iguales o diferentes? diferentes
-40 Multiplica. ¿Es el resultado positivo o negativo? negativo

B. $\dfrac{-54}{-6}$ ¿Son los signos iguales o diferentes? iguales
9 Divide. ¿Es el resultado positivo o negativo? positivo

Cómo trazar soluciones de ecuaciones con enteros
Completa la tabla de soluciones. Usa la ecuación $y = -3x - 4$ para $x = -2$, -1, 0 y 1. Marca los puntos en el plano cartesiano.

x	$-3x - 4$	y	(x, y)
-2	$-3(-2) - 4$		$(-2, \ )$
-1	$-3(-1) - 4$	-1	$(-1, -1)$
0	$-3(0) - 4$	-4	$(0, -4)$
1	$-3(1) - 4$	-7	$(1, -7)$

Si $x = -1$, ¿cuánto vale y? -1
¿Cuál es el par ordenado? $(-1, -1)$
Si $x = 0$, ¿cuánto vale y? -4
¿Cuál es el par ordenado? $(0, -4)$
Si $x = 1$, ¿cuánto vale y? -7
¿Cuál es el par ordenado? $(1, -7)$

Traza los pares ordenados.

Para resolver una ecuación, usa las propiedades de igualdad y despeja
la variable.

Variable despejada	**Variable sin despejar**
$x = 8 - 9$	$x + 9 = 8$

Cómo resolver ecuaciones con sumas y restas
Resuelve.

A. $y + 9 = 5$ — ¿Cuál es la variable que necesitas despejar? ___y___

$y + 9 = 5$ — Para despejar la variable, resta __9__ en ambos lados.
$\underline{-9 \quad -9}$
$y = \underline{-4}$ — Resta. ¿Es y positiva o negativa?

B. $-3 + k = -27$ — ¿Qué necesitas despejar? ___la variable, k___
$\underline{-3} + k = -27$ — ¿Qué debes sumar en ambos lados? ___3___
$\underline{+3 \qquad +3}$
$k = \underline{-24}$ — Suma. ¿Es k positiva o negativa?

Cómo resolver ecuaciones con multiplicaciones y divisiones
Resuelve.

A. $\dfrac{w}{-8} = -4$ — ¿Qué necesitas despejar? ___la variable, w___

$\dfrac{w}{-8} = -4$ — ¿Qué es lo opuesto de dividir? ___multiplicar___

$\dfrac{w}{-8} \cdot (\underline{-8}) = -4 \cdot (\underline{-8})$ — Multiplica ambos lados por $\underline{-8}$ para despejar la variable.

$w = \underline{32}$ — Multiplica. Si multiplicas un número negativo por otro número negativo, el producto es ___positivo___

B. $-49 = 7a$ — ¿Qué necesitas despejar? ___a___

$\dfrac{-49}{7} = \dfrac{7a}{7}$ — ¿Cómo puedes despejar la variable?
___se dividen ambos lados entre 7___

$\underline{-7} = a$ — Divide.

$a = \underline{-7}$ — ¿Qué propiedad te permite escribir la ecuación con la variable al principio?

13
Holt Pre-Álgebra

Para resolver una desigualdad es necesario despejar la variable.

Variable despejada	**Variable sin despejar**
$x \geq 8 - 9$	$x + 9 \geq 8$

Al representar desigualdades en una recta numérica, usa un círculo
cerrado para los signos $\geq$ y $\leq$. Usa un círculo abierto para $>$ y $<$.

Cómo resolver desigualdades con sumas y restas
Resuelve y representa gráficamente.

$w + 2 \leq -3$

$w + 2 \leq -3$ — ¿Qué necesitas despejar? ___w___
$\underline{-2 \quad -2}$ — Resta __2__ en ambos lados para despejar la variable.
$w \leq -5$ — Simplifica.

$\xleftarrow{\;\bullet\!\!-\!\!+\!\!-\!\!+\!\!-\!\!+\!\!-\!\!+\!\!-\!\!+\!\!-\!\!+\;}$
$-10\,{-9}\,{-8}\,{-7}\,{-6}\,{-5}\,{-4}\,{-3}\,{-2}\,{-1}\;0$

Representa gráficamente la solución.
¿Dónde inicia la línea? ___-5___
¿Usarás un círculo abierto o cerrado? ___cerrado___
¿Cómo lo sabes? ___se usa el símbolo "menor o igual que"___
¿Trazarás la línea a la izquierda o a la derecha?
___izquierda___

Al multiplicar o dividir con números negativos para resolver una
desigualdad, recuerda invertir el signo de la desigualdad.

Cómo resolver desigualdades con multiplicaciones y divisiones
Resuelve y representa gráficamente.

$4z < 24$

$\dfrac{4z}{4} < \dfrac{24}{4}$ — ¿Cómo despejas la variable?
___se dividen ambos lados entre 4___

$z < 6$ — Si divides entre un número positivo, ¿qué sucede con la dirección del signo de la desigualdad?

$\xleftrightarrow{\;+\!\!-\!\!+\!\!-\!\!+\!\!-\!\!+\!\!-\!\!+\!\!\circ\!\!-\!\!+\!\!-\!\!+\;}$
$0\;1\;2\;3\;4\;5\;6\;7\;8\;9\;10$ — ___Permanece igual___

Representa gráficamente la solución.
¿En dónde empieza la línea? ___6___
¿Usarás un círculo abierto o cerrado? ___abierto___
¿En qué dirección trazarás la línea?
___a la izquierda___

14
Holt Pre-Álgebra

Una **potencia** es un término como 3^2, donde la **base** es 3 y el exponente
es 2. El **exponente** indica cuántas veces se usa la base como factor.

Vocabulario
base
exponente
potencia

Cómo escribir exponentes
Escribe con exponentes.

A. $5 \cdot 5 \cdot 5 \cdot 5$
¿Cuántas veces se usa 5 como factor? ___4___
$5 \cdot 5 \cdot 5 \cdot 5 = 5^4$
La base es __5__ y el exponente es __4__.

B. $(-6) \cdot (-6) \cdot (-6)$
¿Cuántas veces se usa -6 como factor? ___3___
$(-6) \cdot (-6) \cdot (-6) = (-6)^3$
La base es -6 y el exponente es __3__.

C. $x \cdot x \cdot x \cdot x \cdot x \cdot x$
¿Cuántas veces se usa x como factor? ___6___
$x \cdot x \cdot x \cdot x \cdot x \cdot x = x^6$
La base es __x__ y el exponente es __6__.

D. 4
¿Cuántas veces se usa 4 como factor? ___1___
$4 = 4^1$
La base es __4__ y el exponente es __1__.

Cómo evaluar potencias
Evalúa.

A. 3^5
¿Cuántas veces se multiplica 3 por sí mismo? __5__
$3^5 = 3 \cdot 3 \cdot 3 \cdot 3 \cdot 3$
Halla el resultado de multiplicar cinco veces 3. __243__
$3^5 = 243$

B. $(-4)^3$
¿Cuántas veces se multiplica -4 por sí mismo? __3__
$(-4)^3 = (-4) \cdot (-4) \cdot (-4)$
Encuentra el resultado de multiplicar tres veces -4. __-64__
$(-4)^3 = -64$

Cómo simplificar expresiones que tienen potencias
Simplifica. $62 - 3(4 \cdot 2^2)$

$62 - 3(4 \cdot 2^2)$
$62 - 3(4 \cdot \underline{4})$ — ¿Qué simplificas primero? ___el exponente entre paréntesis___
— ¿Cuál es el siguiente paso? ___multiplicar números entre paréntesis___
$62 - 3(16)$ — Simplifica.
— ¿Qué haces a continuación, restar o multiplicar? ___multiplicar___
$62 - 48$ — Simplifica.
14 — Resta.

15
Holt Pre-Álgebra

Los factores de una potencia pueden agruparse de diferentes maneras
y dar el mismo producto. Cuando los factores tienen la misma base,
recuerda estas reglas:
Multiplicación: suma los exponentes — División: resta los exponentes

Cómo multiplicar potencias con la misma base
Multiplica. Escribe el producto como una potencia.

A. $6^4 \cdot 6^7$
$6^4 \cdot 6^7$ — ¿Son iguales las bases? ___sí___
6^{4+7} — ¿Qué se hace con los exponentes al multiplicar? ___se suman___
6^{11} — ¿Cambió la base? ___no___ ¿Cuál es el exponente? ___11___

B. $t \cdot t^8$
$t \cdot t^8$ — ¿Son iguales las bases? ___sí___
$t^1 \cdot t^8$ — ¿Cuál es el exponente de la primera t? ___1___
t^{1+8} — ¿Qué se hace con los exponentes al multiplicar potencias con la misma base? ___se suman___
t^9 — ¿Cuál es el exponente de t? ___9___

C. $5^3 \cdot 2^6$
$5^3 \cdot 2^6$ — ¿Son iguales las bases? ___no___
— ¿Se pueden combinar los exponentes? ___no___

Cómo dividir potencias con la misma base
Divide. Escribe el cociente como una sola potencia.

A. $\dfrac{10^{12}}{10^9}$
$\dfrac{10^{12}}{10^9}$ — ¿Son iguales las bases? ___sí___
10^{12-9} — ¿Qué se hace con los exponentes al dividir? ___se restan___
10^3 — ¿Cuál es la base? ___10___ ¿Cuál es el exponente? ___3___

B. $\dfrac{x^5}{n^3}$
$\dfrac{x^5}{n^3}$ — ¿Son iguales las bases? ___no___
— ¿Se pueden combinar los exponentes? ___no___

16
Holt Pre-Álgebra

116
Holt Pre-Álgebra

Guía interactiva de estudio
Algo para saber: Cómo hallar un patrón en los exponentes enteros

Un número elevado a una potencia negativa es igual a uno dividido entre ese número, pero elevado al opuesto del exponente.

Cómo usar un patrón para evaluar exponentes negativos
Evalúa las potencias de 10.

10^{-2} ¿Es el exponente positivo o negativo? __negativo__

$10^{-2} = \dfrac{1}{10 \cdot 10}$ Escribe el recíproco y multiplica dos veces 10.

$10^{-2} = \dfrac{1}{100} = \underline{0.01}$ Simplifica y escribe la fracción como un decimal.

Cómo evaluar exponentes negativos
Evalúa.

$(-3)^{-5}$ ¿Cuál es el exponente? __−5__

$\dfrac{1}{(-3)^5}$ Cuando el exponente es negativo, escribe el recíproco.

     ¿Qué signo tiene ahora el exponente? __positivo__

$\dfrac{1}{(-3)(-3)(-3)(-3)(-3)}$ Multiplica cinco veces -3.

$\dfrac{1}{-243}$ ¿Cuál es el producto del denominador? __−243__

Cómo evaluar productos y cocientes de exponentes negativos
Evalúa.

A. $6^4 \cdot 6^{-4}$ ¿Son iguales las bases? __sí__

$6^{4 + (-4)}$ ¿Qué debes hacer con los exponentes? __sumarlos__

6^0 ¿Cuál es el nuevo exponente? __0__

1 Cualquier número elevado a la potencia 0 es igual a __1__.

B. $\dfrac{4^2}{4^6}$ ¿Son iguales las bases? __sí__

$4^{(2-6)}$ ¿Qué debes hacer con los exponentes? __restarlos__

$\dfrac{1}{4^4}$ Para cambiar el signo del exponente, escribe el __recíproco__.

$\dfrac{1}{256}$ Simplifica.

Holt Pre-Álgebra

Guía interactiva de estudio
Notación científica

Una manera breve de escribir números muy grandes es la **notación científica**.

Vocabulario
notación científica

Cómo convertir de notación científica a forma estándar
Escribe cada número en forma estándar.

A. 3.72×10^6

3.72×10^6 ¿Es el exponente de 10 positivo o negativo? __positivo__

$3.72 \times \underline{1,000,000}$ 10^6 tiene __6__ ceros.

$\underline{3,720,000}$ Recorre el punto decimal __6__ lugares a la __derecha__.

B. 2.46×10^{-3}

2.46×10^{-3} ¿Es el exponente de 10 positivo o negativo? __negativo__

$2.46 \times \dfrac{1}{1000}$ ¿A cuánto es igual 10^{-3}? __1__

$2.46 \div \underline{1000}$ Divide entre el recíproco.

$\underline{0.00246}$ Recorre el punto decimal __3__ lugares a la __izquierda__.

C. -8.9×10^5

-8.9×10^5 ¿Es el exponente de 10 positivo o negativo? __positivo__

$-8.9 \times \underline{100,000}$ 10^5 tiene __5__ ceros.

$\underline{-890,000}$ Recorre el punto decimal __5__ lugares a la __derecha__.

Cómo convertir de forma estándar a notación científica
Escribe 0.0000378 en notación científica.

0.0000378

3.78 ¿Cuántos lugares debes recorrer el punto decimal para obtener un número entre 1 y 10? __5__

$3.78 \times \underline{10}^{?}$ Define la notación científica.
     ¿En qué dirección debes recorrer el punto decimal para convertir 3.78 en 0.0000378? __a la izquierda__
     ¿Es el exponente positivo o negativo? __negativo__

3.78×10^{-5} ¿Cuál es el exponente?

Comprueba: ¿Es $3.78 \times 10^{-5} = 3.78 \times 0.00001 = 0.0000378$? __sí__

Holt Pre-Álgebra

Guía interactiva de estudio
Números racionales

Un **número racional** es cualquier número que se puede escribir como fracción $\dfrac{n}{d}$, donde n y d son enteros y $d \neq 0$. Los decimales cerrados y periódicos son números racionales.

Vocabulario
número racional

$\dfrac{6}{24} = \dfrac{1}{4}$ $-0.55\overline{5} = -\dfrac{5}{9}$ $0.2 = \dfrac{2}{10}$

Cómo simplificar fracciones
Escribe $\dfrac{8}{12}$ en su mínima expresión.

$\dfrac{8}{12}$ ¿Qué factor tienen en común 8 y 12? __4__

$\dfrac{8 \div 4}{12 \div 4}$ ¿Cómo simplificas la fracción?
__dividió el numerador__
__y el denominador entre 4__

$\dfrac{2}{3}$ ¿Cómo sabes que la respuesta está en su mínima expresión?
__No hay factores comunes.__

Cómo escribir decimales como fracciones
Escribe -0.125 como una fracción en su mínima expresión.

Coloca en el numerador todos los dígitos que están a la derecha del punto decimal y usa el valor posicional del dígito del extremo derecho como __denominador__.

$-0.12\underline{5}$ ¿Cuál es el último dígito del extremo derecho? __5__
     ¿Qué valor posicional tiene el 5? __milésimos__

$-0.125 = \dfrac{-125}{1000}$ Escribe el decimal como fracción.

$= \dfrac{-1}{8}$ __125__ es el factor común de 125 y 1000.

Cómo escribir fracciones como decimales
Usa la división larga para escribir $\dfrac{8}{3}$ como decimal.

$$3\overline{)8.00}$$

¿Qué número es el dividendo? __8__
¿Cuántas veces cabe 3 en 8? __2__
¿Cuántas veces cabe 3 en 20? __6__

$\dfrac{8}{3} = \underline{2.\overline{66}}$

Holt Pre-Álgebra

Guía interactiva de estudio
Cómo sumar y restar números racionales

Alinea los puntos decimales para sumar o restar decimales.

sin alinear   **alineados**
$\begin{array}{r} 0.123 \\ + 12.04 \end{array}$ $\begin{array}{r} 0.123 \\ + 12.040 \end{array}$

Aplicación
Allen Johnson corrió los 110 metros con obstáculos en 13.03 segundos. Si tardó 0.125 segundos en reaccionar al escuchar el disparo de salida, ¿cuánto tardó realmente en cubrir los 110 metros?

Para resolver este problema, ¿debes sumar o restar? __restar__

$\begin{array}{r} 13.030 \\ - 0.125 \\ \hline 12.905 \end{array}$ ¿Cuántos ceros debes agregar para alinear los decimales? __1__

Resta.

Johnson tardó realmente __12.905 s__ en cubrir los 110 metros.

Para sumar o restar fracciones con denominadores iguales, suma los numeradores y conserva el denominador.

Cómo sumar y restar fracciones con denominadores iguales
Resta $\left(\dfrac{-3}{5}\right) - \dfrac{4}{5}$.

$\left(\dfrac{-3}{5}\right) - \dfrac{4}{5} = \dfrac{-3}{5} + \dfrac{-4}{5}$ Suma el opuesto de la segunda fracción.

$= \dfrac{-3 + (-4)}{5}$ ¿Qué valor usarás como denominador?

$= \dfrac{-7}{5}$ Suma. ¿El resultado es positivo o negativo? ¿Por qué?
__Negativo;__
__la suma de dos números negativos es negativa.__

Cómo evaluar expresiones con números racionales
Evalúa la expresión con el valor dado a la variable.

$8.4 + x$ para $x = -21.7$

$8.4 + (-\underline{21.7})$ ¿Por qué número sustituyes a x? __−21.7__

-13.3 Suma. ¿Cómo hallas la suma?
Razono: $21.7 - 8.4$

     ¿El resultado es positivo o negativo?
__negativo__

Holt Pre-Álgebra

Holt Pre-Álgebra

Guía interactiva de estudio
3-3 Cómo multiplicar números racionales

Al multiplicar fracciones, multiplica los numeradores y luego los denominadores.

El producto de dos números con signos iguales es positivo.
$(+) \cdot (+) = (+)$ ó $(-) \cdot (-) = (+)$

El producto de dos números con signos diferentes es negativo.
$(+) \cdot (-) = (-)$ ó $(-) \cdot (+) = (-)$

Cómo multiplicar una fracción por un entero
Multiplica. Escribe la respuesta como número mixto en su mínima expresión.

$-5\left(2\frac{3}{4}\right)$

$= -5\left(\frac{11}{4}\right)$ · Para convertir un número mixto en fracción impropia, se __multiplica__ el denominador por el número cabal y luego se __suma__ el numerador.

$= -\frac{55}{\underline{multiplica}}$ · Para multiplicar una fracción por un entero, el numerador se __multiplica__ por el entero y el denominador se multiplica por __1__

$= -13\frac{3}{4}$ · Escribe el resultado como número mixto. ¿El resultado es positivo o negativo? __negativo__ ¿Cómo lo sabes?
__el producto de__
__un número negativo por uno positivo es negativo__

Cómo multiplicar fracciones
Multiplica. Escribe la respuesta en su mínima expresión.

$\frac{-3}{5}\left(\frac{-2}{3}\right)$

$= \frac{-3 \cdot -2}{5 \cdot 3}$ se __multiplican__ los numeradores y luego se __—__ __multiplican__ los denominadores. · Para multiplicar fracciones, se

$= \frac{(\overset{-1}{\cancel{3}})(-2)}{(5)(\cancel{3})}$ · Cancela los factores comunes.

$= \frac{2}{5}$ · Simplifica. ¿El resultado es positivo o negativo? __positivo__ es positivo.
¿Cómo lo sabes? __El producto de dos números negativos__

Holt Pre-Álgebra

Guía interactiva de estudio
3-4 Cómo dividir números racionales

Vocabulario
recíproco

Para dividir un número entre una fracción, multiplícalo por el recíproco.
El **recíproco** de un número se encuentra al intercambiar el numerador y el denominador.

Número	Recíproco	Producto
$\frac{7}{8}$	$\frac{8}{7}$	$\frac{7}{8} \cdot \frac{8}{7} = 1$
-2	$\frac{-1}{2}$	$-2 \cdot \frac{-1}{2} = 1$

Para dividir un decimal entre otro, multiplica ambos números por una potencia de 10, de manera que puedas dividir entre un número cabal.

Cómo dividir fracciones
Divide. Escribe la respuesta en su mínima expresión.

A. $\frac{7}{18} \div \frac{1}{2}$

$\frac{7}{18} \div \frac{1}{2} = \frac{7}{18} \cdot \frac{2}{1}$ · ¿Cuál es el recíproco de $\frac{1}{2}$?

$= \frac{7 \cdot \overset{1}{\cancel{2}}}{\underset{9}{\cancel{18}} \cdot 1}$ · ¿Cuántas veces cabe 2 en 18?

$= \frac{7}{9}$ · Simplifica.

B. $3\frac{1}{6} \div \frac{2}{3}$

$3\frac{1}{6} \div \frac{2}{3} = \frac{19}{6} \div \frac{2}{3}$ · Para escribir $3\frac{1}{6}$ como una fracción impropia, multiplica __6__ por __3__ y suma el numerador 1.

$\frac{19}{6} \div \frac{2}{3} = \frac{19}{6} \cdot \frac{3}{2}$ · Multiplica por el recíproco de $\frac{2}{3}$.

$= \frac{19 \cdot \overset{1}{\cancel{3}}}{\underset{2}{\cancel{6}} \cdot 2}$ · ¿Cuál es el factor común? __3__

$= \frac{19}{4} = 4\frac{3}{4}$ · Multiplica y escribe la respuesta como número mixto.

Holt Pre-Álgebra

Guía interactiva de estudio
3-5 Cómo sumar y restar con denominadores distintos

Para sumar o restar fracciones con denominadores distintos primero debes hallar el común denominador. Dos métodos que puedes usar para hallar el común denominador son:

Método 1: Multiplica un denominador por el otro.

Método 2: Encuentra el **mínimo común denominador (mcd),** que es el mínimo común múltiplo de los denominadores.

Cómo sumar fracciones con denominadores distintos
Suma. $\frac{3}{5} + \frac{1}{7}$

Para sumar dos fracciones, necesitas un __común denominador__.

Multiplica 5 × 7 para obtener un común denominador de __35__.

$= \frac{3}{5}\left(\frac{7}{7}\right) + \frac{1}{7}\left(\frac{5}{5}\right)$ · Multiplica por fracciones iguales a __1__.

$= \frac{21}{35} + \frac{5}{35}$ · Escribe usando el común denominador.

$= \frac{26}{35}$ · Suma los __numeradores__ y conserva el mismo __denominador.__

Cómo evaluar expresiones con números racionales.
Evalúa $n - \frac{3}{5}$ para $n = -\frac{1}{7}$.

$n - \frac{3}{5}$

$= \frac{-1}{7} - \frac{3}{5}$ · Sustituye n por $-\frac{1}{7}$.

$= \left(-\frac{1}{7}\right)\left(\frac{5}{5}\right) - \frac{3}{5}\left(\frac{7}{7}\right)$ · Multiplica por fracciones iguales a __1__.

$= -\frac{5}{35} - \frac{21}{35}$ · Escribe usando el común denominador.

$= -\frac{26}{35}$ · Resta. ¿El resultado es positivo o negativo? __negativo__

Holt Pre-Álgebra

Guía interactiva de estudio
3-6 Álgebra: Cómo resolver ecuaciones con números racionales

Para resolver una ecuación, despeja la variable. Mediante las operaciones inversas puedes despejar la variable.

Cómo resolver ecuaciones con decimales
Resuelve.

A. $w - 6.5 = 31$

$\underline{+6.5 \quad +6.5}$ · ¿Qué número debes sumar en ambos lados?

$w = \underline{37.5}$ · ¿Cuánto vale w?

B. $\frac{x}{4.6} = 8$

$\frac{x}{4.6} \cdot \underline{4.6} = 8 \cdot (\underline{4.6})$ · Para despejar x, multiplica ambos lados de la ecuación por __4.6__

$x = \underline{36.8}$ · ¿Cuánto vale x?

¿Cómo compruebas la respuesta? __Divido 36.8 entre 4.6 para ver si da 8 como resultado.__

C. $-3.7x = 22.2$

$\frac{-3.7x}{-3.7} = \frac{22.2}{-3.7}$ · ¿Entre qué número debes dividir ambos lados de la ecuación?

$x = \underline{-6}$ · ¿Cuánto vale x?

Cómo resolver ecuaciones con fracciones
Resuelve.
$x + \frac{3}{5} = \frac{6}{7}$

$x + \frac{3}{5} - \frac{3}{5} = \frac{6}{7} - \frac{3}{5}$ · ¿Qué número debes restar en ambos lados de la ecuación?

$x = \frac{6}{7} - \frac{3}{5}$ · Para restar las fracciones, primero encuentra su __común denominador__

$x = \frac{30}{35} - \frac{21}{35}$ · ¿Cuál es el común denominador?

$x = \frac{9}{35}$ · ¿Cuánto vale x?

Holt Pre-Álgebra

Holt Pre-Álgebra

Guía interactiva de estudio
Álgebra: Cómo resolver desigualdades con números racionales

Para resolver una desigualdad, usa operaciones inversas para despejar la variable.

Si multiplicas o divides entre un número negativo, debes invertir el símbolo de la desigualdad.

Cómo resolver desigualdades con decimales
Resuelve.

A. $w - 16.3 > 42$

$w - 16.3 > 42$

$+\underline{16.3} + \underline{16.3}$ ¿Qué número debes sumar en ambos lados?

$w > \underline{58.3}$ ¿w es mayor que qué número?

B. $-4.9x \le 24.5$

$\dfrac{-4.9x}{-4.9} \boxed{\ge} \dfrac{24.5}{-4.9}$ ¿Entre qué número debes dividir ambos lados?

$x \boxed{\ge} -5$ ¿Qué debes hacer con el símbolo de desigualdad?

__invertirlo__ ¿Por qué?

Al multiplicar o dividir entre un número negativo, el signo debe invertirse.

Cómo resolver desigualdades con fracciones
Resuelve.

$6\dfrac{2}{3}x \le \dfrac{1}{9}$ ____

$\dfrac{20x}{3} \le \dfrac{1}{9}$ ¿Cómo conviertes $6\dfrac{2}{3}$ en fracción impropia? __Multiplico__

__3 por 6 y le sumo el numerador 2.__

$\dfrac{20x}{3} \cdot \dfrac{3}{20} \le \dfrac{1}{9} \cdot \dfrac{3}{20}$ ¿Por qué número multiplicas ambos lados?

$\dfrac{20x}{3} \cdot \dfrac{3}{20} \le \dfrac{1}{9} \cdot \dfrac{3}{20}$ ¿Qué factores comunes puedes cancelar?

__3__ y __20__

$x \le \dfrac{1}{60}$ ¿x es menor o igual a qué número?

     Holt Pre-Álgebra

Guía interactiva de estudio
Cuadrados y raíces cuadradas

Todo número positivo tiene dos raíces cuadradas, una positiva y otra negativa. La positiva se denomina **raíz cuadrada principal.**
Un **cuadrado perfecto** es un número cuya raíz cuadrada es un entero.

Vocabulario
cuadrado perfecto
raíz cuadrada principal

Cuadrados perfectos   **No son cuadrados perfectos**
25; 36; 196   12; 37; 186

Lo opuesto de elevar un número al cuadrado es obtener su raíz cuadrada.
$10^2 = 100$ $\sqrt{100} = 10$

Cómo obtener las raíces cuadradas positiva y negativa de un número
Halla las dos raíces cuadradas de 49.

49

$\sqrt{49} = \underline{7}$ ¿Qué dos números multiplicados dan 49? __7 y 7__

$-\sqrt{49} = \underline{-7}$ ¿Qué otros dos números multiplicados dan 49?

__-7 y -7__

Aplicación
Una alfombra cuadrada tiene un área de 1024 pies cuadrados. ¿Cuánto miden sus lados?

$A = \ell^2$ Usa la fórmula de área del cuadrado para hallar el lado, ℓ.

$1024 = \ell^2$ Obtener la raíz cuadrada de un número es lo __opuesto__ a elevarlo al cuadrado.

$\sqrt{1024} = \sqrt{\ell^2}$ Halla la raíz cuadrada de ambos lados.

__32 pies__ $= \ell$ ¿Cuánto mide cada lado de la alfombra? ¿En qué unidades?

¿Puede ser negativa la longitud de un lado de la alfombra? Explica.

__No; las longitudes sólo pueden ser positivas.__

Cómo evaluar expresiones
Evalúa la expresión $3\sqrt{36} + 5$.

$3\sqrt{36} + 5$

$3(\underline{6}) + 5$ ¿Cuál es la raíz cuadrada de 36?

$\underline{18} + 5$ ¿Qué debes hacer primero, según el orden de las operaciones?

__multiplicar__

$\underline{23}$ Suma.

     Holt Pre-Álgebra

Guía interactiva de estudio
Cómo hallar raíces cuadradas

Cuando un número no es un cuadrado perfecto, puedes estimar su raíz cuadrada con cualquiera de estos métodos:

Método 1: Busca los dos cuadrados perfectos entre los que está el número.

Método 2: Usa una calculadora y redondea la raíz cuadrada a la cantidad necesaria de decimales.

Cómo estimar raíces cuadradas de números que no son cuadrados perfectos
Cada raíz cuadrada está entre dos enteros. Menciona cuáles son los enteros.

A. $\sqrt{40}$ ¿Qué cuadrados perfectos están cerca de 40? __36__ y __49__

$6^2 = \underline{36}$ ¿Qué cuadrado perfecto es menor que 40? __36__

$7^2 = \underline{49}$ ¿Qué cuadrado perfecto es mayor que 40? __49__

$\sqrt{40}$ está entre los enteros __6__ y __7__.

B. $-\sqrt{130}$ ¿Qué cuadrados perfectos están cerca de 130?

__121__ y __144__

$(-11)^2 = \underline{121}$ ¿Qué cuadrado perfecto es menor que 130? __121__

$(-12)^2 = \underline{144}$ ¿Qué cuadrado perfecto es mayor que 130? __144__

$-\sqrt{130}$ está entre los enteros __−11__ y __−12__.

Cómo usar una calculadora para estimar el valor de una raíz cuadrada
Usa una calculadora para hallar $\sqrt{475}$. Redondea al décimo más cercano.

Con una calculadora, $\sqrt{475} \approx 21.7\underline{94494} \ldots$

¿Cuánto es 21.794494 redondeado a la posición de los décimos? __21.8__

     Holt Pre-Álgebra

Guía interactiva de estudio
Los números reales

Los **números reales** son el conjunto de los números racionales y los **números irracionales.** Los números irracionales son números decimales que no son cerrados ni periódicos.

Vocabulario
número irracional
número real

Números reales

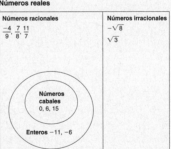

Números racionales	Números irracionales
$-\dfrac{4}{9}, \dfrac{7}{8}, \dfrac{11}{7}$ Números cabales 0, 6, 15 Enteros −11, −6	$-\sqrt{8}$ $\sqrt{3}$

Cómo clasificar números reales
Escribe todas las clases a las que pertenece cada número.

A. $\sqrt{13}$

¿Es 13 un cuadrado perfecto?

__no__

Clasifica $\sqrt{13}$.

__irracional, real__

B. -21.78

¿Es -21.78 un decimal cerrado o periódico? __cerrado__

¿Es -21.78 un número racional o irracional? __racional__

Clasifica -21.78. __real, racional__

Cómo clasificar los números
Indica si el número es racional, irracional o no es un número real.

A. $\sqrt{11}$ Clasifica el número 11. __cabal__

¿Es 11 un cuadrado perfecto? __no__

¿Cómo clasificas a $\sqrt{11}$? __irracional__

B. $\dfrac{15}{0}$ ¿Puedes dividir un número entre cero? __no__

¿Cómo clasificas este número? __no es un número real__

     Holt Pre-Álgebra

     Holt Pre-Álgebra

Guía interactiva de estudio
4-1 Muestras y encuestas

Las encuestas sirven para estudiar un grupo completo o una **población.** Para evaluar una encuesta necesitas conocer la **muestra,** o parte de la población en estudio. Si la muestra no es una buena representación del grupo o población que se desea estudiar, decimos que es una **muestra no representativa.**

Vocabulario
muestra no representativa
población
muestra aleatoria
muestra
muestra por estratos
muestra sistemática

Cómo identificar muestras
Identifica la población y la muestra. Di por qué podría tratarse de una muestra no representativa.

En un hotel, un empleado pregunta a las primeras cincuenta personas que salen el domingo si les gustó la nueva piscina.

Completa la tabla.

Población	Muestra	¿Por qué no es representativa?
Todos los huéspedes	Las primeras cincuenta personas que salen el domingo	No a todos los huéspedes les gusta nadar

Los métodos de muestreo que garantizan que la muestra producirá información válida son:

aleatorio: se selecciona un miembro al azar
sistemático: se selecciona un miembro según una regla o fórmula
por estratos: se selecciona un miembro al azar de un subgrupo elegido al azar

Cómo identificar métodos de muestreo
Identifica el método de muestreo usado.

A. Se seleccionan cinco equipos. Se elige un capitán por cada equipo.
La selección fue aleatoria y de un subgrupo, así que es una muestra _por estratos_
¿Cuál es el subgrupo? _los cinco equipos_

B. Se escoge cada tercer nombre de una lista de voluntarios.
Se usa una regla, así que la muestra es _sistemática_
¿Cuál es la regla? _cada tercer nombre de la lista_

C. Todos los compradores depositan sugerencias en una caja. El gerente saca una sugerencia y la comenta con los empleados.
La sugerencia se elige al azar, así que es una muestra _aleatoria_.

29   Holt Pre-Álgebra

Guía interactiva de estudio
4-2 Cómo organizar los datos

Las tablas, los **diagramas de tallo y hojas** y los **diagramas dobles de tallo y hojas** son tres maneras de organizar y presentar datos.

Vocabulario
diagrama doble de tallo y hojas
diagrama de tallo y hojas

Cómo organizar datos en tablas
Usa los datos para completar la tabla.

La familia de Jill quiere comprar un auto nuevo. Han reducido sus opciones a tres: El Arrow cuesta $34,600, rinde 20 mpg y le caben 5 pasajeros; el Falcon cuesta $32,800, rinde 23 mpg y le caben 7 pasajeros; el Sabre cuesta $31,900, rinde 21 mpg y le caben 7 pasajeros.

Vehículo	Arrow	Falcon	Sabre
Precio	$34,600	$32,800	$31,900
mpg	20	23	21
Pasajeros	5	7	7

Cómo organizar datos en diagramas de tallo y hojas
Usa los datos para hacer un diagrama de tallo y hojas.

El tiempo varía entre _10 min_ y _30 min_

Los tallos son _1, 2 y 3_

Completa los tallos y las hojas.

Tallos	Hojas
1	0 5 5
2	0 5
3	0

¿Qué representa la clave 3 | 0?   _30_

Tiempo dedicado a estudiar cada noche (minutos)

Matemáticas	30	Lectura	15
Lenguaje	10	Inglés	20
Historia	15	Ciencias	25

Cómo organizar datos en diagramas dobles de tallo y hojas
Usa los datos para hacer un diagrama de tallo y hojas.
Identifica los tallos. _0 y 1_

Resultados del campeonato escolar de béisbol

Año	97	98	99	00	01	02
Victorias	7	12	13	6	3	9
Derrotas	5	7	10	1	2	6

Escribe los tallos en el diagrama.
Escribe las hojas; las derrotas se leen de derecha a izquierda.
¿Qué significa la clave 1| 0 |? _1 derrota_
¿Qué significa la clave | 1 | 2? _12 victorias_

Derrotas		Victorias
76521	0	3679
0	1	23

30   Holt Pre-Álgebra

Guía interactiva de estudio
4-3 Medidas de tendencia principal

Las medidas de tendencia principal son:
media: promedio
mediana: valor que está a la mitad
moda: valor más frecuente

Si un dato está muy alejado de la mayoría, se le llama **valor extremo.**

Vocabulario
media
mediana
moda
valor extremo

Cómo hallar medidas de tendencia principal
Halla la media, la mediana y la moda del conjunto de datos.
2, 6, 4, 8, 9, 4, 7, 46

Media: 2 + 6 + 4 + 8 + 9 + 4 + 7 + 46 = _86_   Halla el total de los valores.

Media = $\frac{86}{8}$ = _10.75_   Divide entre _8_, el número total de valores.

Mediana: _2, 4, 4, 6, 7, 8, 9, 46_   Ordena los valores.

¿Entre qué valores se encuentra la mediana? _6_ y _7_

$\frac{6 + 7}{2}$ = _6.5_   Promedia los dos valores intermedios para hallar la mediana.

Moda: _4_   ¿Qué valor es el más frecuente?

¿Hay un valor extremo? _sí_   Identifícalo _46_

Sin el valor extremo, la media sería aproximadamente _5.7_

Aplicación
Usa los datos de la tabla para hallar las respuestas.

A. Halla el diámetro promedio de los planetas terrestres: Mercurio, Venus, Tierra y Marte.

$\frac{4,800 + 12,103.6 + 12,756.3 + 6,794}{4}$ = _9113.48_ km

B. Halla el diámetro promedio de los gigantes gaseosos: Júpiter, Saturno, Urano y Neptuno.

$\frac{142,984 + 120,536 + 51,118 + 49,532}{4}$ = _91,042.5_ km

C. Halla el diámetro promedio de todos los planetas.

$\frac{4,800 + 12,103.6 + 12,756.3 + 6,794 + 142,984 + 120,536 + 51,118 + 49,532 + 2,274}{9}$

= _44,766.4_ km

Planetas	Diámetro (km)
Mercurio	4,800
Venus	12,103.6
Tierra	12,756.3
Marte	6,794
Júpiter	142,984
Saturno	120,536
Urano	51,118
Neptuno	49,532
Plutón	2,274

31   Holt Pre-Álgebra

Guía interactiva de estudio
4-4 Variabilidad

Variabilidad: describe qué tan extendido está un conjunto de datos
Rango: el valor máximo menos el valor mínimo
Primer cuartil: mediana de la mitad inferior
Tercer cuartil: mediana de la mitad superior

Una **gráfica de mediana y rango** muestra la distribución de los datos. Usa un rectángulo para representar la mitad central de los datos, y líneas para representar los cuartos superior e inferior.

Vocabulario
gráfica de mediana y rango
primer cuartil
tercer cuartil
rango
variabilidad

Cómo hallar medidas de variabilidad
Encuentra el rango, el primero y el tercer cuartil de este conjunto de datos.
12 19 16 20 13 14 17 19 14 16

Ordena los valores. 12 13 [13] 14 14 [16] 16 17 [19] 19 20

¿Cuál es la mediana de los datos? _16_   Enciérrala en un recuadro.

Encierra en un recuadro la mitad inferior de los datos y halla su mediana (primer cuartil).
_13_

Encierra en un recuadro la mitad superior de los datos y halla su mediana (tercer cuartil).
_19_

Halla el rango. 20 − _12_ = _8_

Cómo hacer una gráfica de mediana y rango
Usa estos datos para hacer una gráfica de mediana y rango.
13 41 15 49 17 15 12 20 51 13 55 43 56

Paso 1
Ordena los datos. 12 13 13 15 15 17 20 41 43 49 51 55 56

Encuentra los valores siguientes.

valor mínimo: _12_

$\frac{13 + 15}{2}$ = 14

primer cuartil: _13_

mediana: _20_

$\frac{49 + 51}{2}$ = 50

tercer cuartil: _50_

valor máximo: _56_

Paso 2
Traza una recta numérica con una línea vertical sobre cada valor del Paso 1.

10   20   30   40   50   60

Paso 3
Traza líneas horizontales para formar el rectángulo y las líneas de los extremos.

10   20   30   40   50   60

32   Holt Pre-Álgebra

Holt Pre-Álgebra

Guía interactiva de estudio
Cómo presentar datos

Cómo presentar datos en una gráfica de barras
Organiza los datos en una tabla de frecuencia y haz una gráfica de barras.

Éstas son las edades que 15 adolescentes elegidos al azar tenían al obtener su primer empleo:
15 16 15 17 19 17 18 16 17 18 18 17 16 19 18

Primero organiza los datos en una tabla de frecuencias.

¿Cuántas veces aparece cada valor?

Edad	15	16	17	18	19
Frecuencia	2	3	4	4	2

¿Qué título tiene la gráfica de barras?
Empleos de adolescentes

Rotula el eje de las *x* y el eje de las *y*.
Determina y marca la escala de cada eje.
Completa la gráfica de barras con los datos de la tabla de frecuencias.

Empleos de adolescentes

Cómo presentar datos en un histograma
Para su gran venta de verano, una compañía que vende por catálogo quiere presentar sus productos agrupándolos según su rango de precios. Haz un histograma con los precios que te dan. Usa intervalos de $5.00.
$11 $8 $2 $4 $17 $9 $10 $13 $7 $11 $19 $3 $6 $4 $12 $14 $8 $9

¿Cuántos artículos hay en cada rango de precios? Completa la tabla.

Precio ($)	Frecuencia
0–5	4
6–10	7
11–15	5
16–20	2

¿Qué rótulo tiene el eje de las *x*? ¿El de las *y*?
Precio; Número de artículos

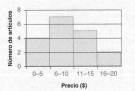
Rangos de precios

Rotula los intervalos de ambos ejes. Completa el histograma dibujando las barras.
¿Debe haber espacios entre las barras? **no**

Guía interactiva de estudio
Gráficas y estadísticas engañosas

Los datos se pueden presentar de manera que distorsionen intencionalmente la información.

Cómo identificar gráficas engañosas
Explica por qué son engañosas las gráficas.

A.

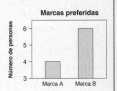
Deportes favoritos de estudiantes de 8º grado
golf   baloncesto   béisbol   fútbol americano

¿A cuántos estudiantes les gusta el golf? **5**
¿A cuántos estudiantes les gusta el baloncesto? **3**
¿A cuántos estudiantes les gusta el béisbol? **8**
¿A cuántos estudiantes les gusta el fútbol americano? **4**
¿Por qué en la gráfica parece que más estudiantes prefieren el baloncesto al golf? **El tamaño de las pelotas distorsiona la gráfica**
Según la gráfica, ¿cuál es el deporte más popular? **béisbol**

B.

¿Dónde empieza la escala? **3**
¿Cuántas personas prefieren la marca A? **4**
¿Cuántas personas prefieren la marca B? **6**
El doble de personas prefieren la marca B a la marca A como parecen indicar las barras? **no**
¿Qué sucede cuando la escala no empieza en 0?
Las barras muestran información engañosa.

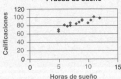
Marcas preferidas
Marca A   Marca B

Cómo identificar estadísticas engañosas
Explica por qué las estadísticas son engañosas.

Un publicista de una pizzería local pregunta a diez personas cuál es su ingrediente favorito. Seis personas votan por peperoni, tres por salchicha, una por champiñones y una por tocino. El anuncio dice "Pruebe nuestra pizza de peperoni. El doble de personas la prefieren a cualquier otro tipo de pizza".

¿A cuántas personas se les hizo la pregunta? **10**
¿Cuántas de ellas prefirieron peperoni? **6**
¿Cuántas votaron por salchicha? **3**
¿Es significativa la diferencia entre 3 y 6? **No, la muestra es demasiado pequeña**
¿La afirmación que se hace en el anuncio es veraz o engañosa? **engañosa**

Guía interactiva de estudio
Diagramas de dispersión

Cómo hacer un diagrama de dispersión de un conjunto de datos
Un profesor quiere estudiar cómo afectan las horas de sueño a las calificaciones de un examen. Para ello reúne los datos que se muestran en la tabla. Usa los datos para hacer un diagrama de dispersión.

Horas de sueño	Califi-cación	Horas de sueño	Califi-cación
5	69	8.5	87
5	65	9	91
6	80	9	93
6.5	77	10	85
7	79	10.5	92
7	85	11	100
8	83	12	97

Rotula el eje de las *x* y el de las *y*.
Determina la escala de los ejes y márcala.
¿Cuántos puntos debes trazar?
14

Representa gráficamente los datos de la tabla.
Por ejemplo, traza un punto en (5, 69).

Prueba de sueño

¿Te parece que los datos tienen una correlación positiva, negativa o no tienen correlación?
correlación positiva
¿Cómo lo sabes? **Conforme aumentan las horas de sueño, aumentan las calificaciones de examen.**

Cómo identificar correlaciones de datos
¿Los siguientes conjuntos de datos tienen correlación positiva o negativa, o no tienen correlación?

A. Edad y peso de un bebé.
Conforme un bebé crece, su peso **aumenta**. Los dos conjuntos de datos **aumentan** así que tienen una correlación **positiva**.

B. El tiempo libre que tienes y el número de deportes que practicas.
Tu tiempo libre **disminuye** conforme **aumenta** el número de deportes que practicas, así que los datos tienen una correlación **negativa**.

C. El precio de una camisa y el color de sus botones.
El color de los botones de una camisa no influye en su precio, así que los datos **no tienen correlación**.

Guía interactiva de estudio
Puntos, líneas, planos y ángulos

Los conceptos fundamentales de la geometría son el punto, la línea y el plano.

Un **ángulo recto** mide 90°; un **ángulo obtuso** mide más de 90° pero menos de 180°; un **ángulo agudo** mide menos de 90°. Dos ángulos agudos son **complementarios** si sus medidas suman 90°.

Usa el diagrama de la derecha para responder las preguntas.

Cómo identificar puntos, líneas, planos y ángulos

A. Identifica cinco puntos en el diagrama.
¿Cuántas letras se usan para identificar un punto? **1**
Identifica tres puntos. **Respuestas posibles: A, B, C, D, E o F**

B. Identifica una línea en el diagrama.
¿Cuántos puntos se necesitan para identificar una línea? **2**
Identifica una línea en el diagrama. **Respuestas posibles: $\overleftrightarrow{AD}$ o $\overleftrightarrow{AB}$ o $\overleftrightarrow{EF}$**

C. Identifica un plano en el diagrama.
¿Cuántos puntos se necesitan para identificar un plano? **3**
¿Qué figura forman tres puntos en un plano? **un triángulo**
Identifica un plano. **Respuestas posibles: plano W o plano BDF**

Vocabulario
ángulo
ángulos complementarios
ángulo obtuso
ángulo recto
ángulo agudo

Cómo clasificar ángulos

A. Identifica un ángulo recto en el diagrama.
¿Cuántos grados hay en un ángulo recto? **90°**
Identifica un ángulo recto. **∠BFD**

C. Identifica dos ángulos obtusos en el diagrama.
Un ángulo obtuso mide más de **90°** pero menos de **180°**
Señala dos ángulos obtusos. **∠EBD o ∠ABF**

B. Identifica dos ángulos agudos en el diagrama.
¿Cuánto mide un ángulo agudo? **menos de 90°**
Identifica dos ángulos agudos. **Respuestas posibles: ∠ABE, ∠CFD**

D. Identifica un par de ángulos complementarios en el diagrama.
Dos ángulos complementarios siempre suman **90°**.
Señala dos ángulos complementarios. **∠BFC, ∠CFD**

Holt Pre-Álgebra

Guía interactiva de estudio
Líneas paralelas y perpendiculares

Las **líneas paralelas** son dos líneas en un plano que nunca se tocan. Las **líneas perpendiculares** se intersectan en un ángulo de 90°. Una línea que intersecta dos o más líneas es una **transversal**.

Vocabulario
líneas paralelas
líneas perpendiculares
transversal

Cómo identificar ángulos congruentes formados por una transversal

Las líneas *m* y *n* son paralelas. Usa un transportador para medir los ángulos formados por la intersección de la transversal y las líneas paralelas. ¿Qué ángulos parecen congruentes?

Halla la medida de:

∠1 __150°__ ∠2 __30°__ ∠3 __30°__ ∠4 __150°__

∠5 __150°__ ∠6 __30°__ ∠7 __30°__ ∠8 __150°__

¿Qué ángulos son congruentes con ∠2? __∠3__ __∠6__ y __∠7__

¿Qué ángulos son congruentes con ∠1? __∠4__ __∠5__ y __∠8__

Cómo hallar las medidas de los ángulos formados por líneas paralelas cortadas por una transversal

En la figura, la línea *p* ∥ la línea *q*. Halla la medida de cada ángulo.

A. ∠7

¿Qué tipo de ángulo es ∠7? __obtuso__

¿Cuánto mide el ángulo opuesto a ∠7? __118°__

Cuando dos paralelas son cortadas por una transversal, los ángulos obtusos que se forman son __congruentes__

Por lo tanto, m∠7 = __118°__

B. ∠5

¿Cuántos grados suman dos ángulos suplementarios? __180°__

∠5 es __suplementario__ con 118°.

Cuando dos paralelas son cortadas por una transversal, cualquier ángulo __agudo__ que se forme es suplementario a cualquier ángulo __obtuso__.

m∠5 + 118° = __180°__   Escribe una ecuación para hallar m∠5.

$\quad$ −118° −118°   Resta.

m∠5   = __62°__

37   **Holt Pre-Álgebra**

Guía interactiva de estudio
Triángulos

Las medidas de los ángulos de cualquier triángulo sobre un plano siempre suman 180°.

Cómo hallar la medida de los ángulos en triángulos acutángulos y triángulos rectángulos

A. Halla *x* en el triángulo acutángulo.

¿Cuánto suman los ángulos de un triángulo acutángulo? __180°__

55° + 75° + x° = __180°__

$\quad$ 130° + x° = 180°   Suma.

$\quad$ −130° −130°   ¿Qué debes restar en ambos lados para despejar *x*?

$\quad\quad$ x° = __50°__   ¿Cuánto mide *x*?

B. Halla *y* en el triángulo rectángulo.

¿Cuánto mide un ángulo recto? __90°__

¿Cuánto suman los ángulos de un triángulo rectángulo? __180°__

50° + __90°__ + y° = 180°

$\quad$ 140° + y° = 180°   Suma

$\quad$ −140° −140°   ¿Qué debes restar en cada lado?

$\quad\quad$ y° = __40°__   ¿Cuánto mide *y*?

Cómo hallar la medida de los ángulos en triángulos equiláteros, isósceles y escalenos

Halla las medidas de los ángulos en el triángulo isósceles.

Un triángulo isósceles tiene dos ángulos con __medidas congruentes__.

82° + __m°__ + __m°__ = 180°   Completa los datos.

82° + __2m°__ = 180°   Combina los términos semejantes.

$\quad$ −82° −82°   Primero cancela la suma.

$\quad$ 2m° = 98°

$\quad \dfrac{2m°}{2} = \dfrac{98°}{2}$ Ahora cancela la multiplicación.

$\quad$ m° = __49°__   ¿Cuánto mide *m*?

38   **Holt Pre-Álgebra**

Guía interactiva de estudio
Polígonos

Un **polígono** es una figura plana cerrada, formada por tres o más segmentos de recta. En un **polígono regular** todos los lados y ángulos tienen la misma medida. La suma de las medidas de los ángulos de un polígono es igual a 180° · (n − 2).

Los cuadriláteros derivan su nombre de sus propiedades.

Vocabulario
paralelogramo
polígono
rectángulo
polígono regular
rombo
cuadrado
trapecio

Trapecio: un par de lados paralelos
Rectángulo: 4 ángulos rectos
Rombo: 4 lados congruentes
Paralelogramo: 2 pares de lados paralelos
Cuadrado: 4 lados congruentes y 4 ángulos rectos

Cómo hallar la suma de los ángulos de los polígonos

A. Halla la suma de los ángulos de un paralelogramo.

Traza una diagonal de una esquina a la esquina opuesta.

¿Cuántos triángulos se forman? __2__

¿Cuántos grados suman los ángulos de un triángulo? __180°__

2 • 180° = __360°__

Los ángulos de un paralelogramo suman __360°__.

B. Halla la suma de los ángulos de un hexágono.

Divide la figura en triángulos.

¿Cuántos triángulos se forman? __4__

__4__ • 180° = __720°__

Los ángulos de un hexágono suman __720°__.

Cómo hallar la medida de cada ángulo en un polígono regular

Halla las medidas de los ángulos de un hexágono regular.

¿Qué afirmación es verdadera acerca de los lados y los ángulos de un polígono regular?

__Todos sus lados y ángulos tienen la misma medida.__

Usa la fórmula 180° (n − 2).

6z° = 180°(__6__ − 2)   ¿Qué representa *n*?

6z° = 180°(__4__)   Resta.

6z° = __720°__   Multiplica.

$\dfrac{6z°}{6} = \dfrac{720°}{6}$ Divide para despejar *z*.

z° = __120°__   ¿Cuánto mide cada ángulo?

39   **Holt Pre-Álgebra**

Guía interactiva de estudio
Geometría de coordenadas

La **pendiente** describe la inclinación de una línea.

$$\text{Pendiente} = \frac{\text{cambio vertical}}{\text{cambio horizontal}} = \frac{\text{distancia vertical}}{\text{distancia horizontal}}$$

Vocabulario
distancia vertical
distancia horizontal
pendiente

Cómo hallar la pendiente de una línea

Determina si la pendiente de cada línea es positiva, negativa, sin valor (0) o indefinida.

A. $\overleftrightarrow{AB}$

¿Hacia dónde se inclina la pendiente, a la izquierda o a la derecha? __a la izquierda__

¿Cuál es el cambio vertical entre el punto *A* y el punto *B*? __−3__ ¿Cuál es el cambio horizontal entre el punto *A* y el punto *B*? __2__

pendiente $\overleftrightarrow{AB} = \dfrac{\text{distancia vertical}}{\text{distancia horizontal}} = \dfrac{-3}{2}$

La pendiente es __negativa__.

B. $\overleftrightarrow{AD}$

La pendiente de una línea horizontal es __0__.

C. $\overleftrightarrow{EF}$

La pendiente de una línea vertical es __indefinida__.

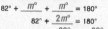

Cómo hallar líneas perpendiculares y paralelas

¿Qué líneas son paralelas? ¿Cuáles son perpendiculares?

En las líneas paralelas, las pendientes son __iguales__.

En las líneas perpendiculares, el producto de las pendientes es __−1__.

Halla la pendiente de $\overleftrightarrow{ST}$. $\dfrac{2}{1} =$ __2__

Halla la pendiente de $\overleftrightarrow{UV}$. __$-\dfrac{2}{3}$__

Halla la pendiente de $\overleftrightarrow{WX}$. __$-\dfrac{2}{3}$__ Halla la pendiente de $\overleftrightarrow{YZ}$. __$\dfrac{-3}{2}$__

¿Qué líneas tienen pendientes iguales? __$\overleftrightarrow{UV}$ y $\overleftrightarrow{WX}$__

¿Son estas líneas paralelas o perpendiculares? __paralelas__

¿Cuál es el producto de las pendientes de *YZ* y *UV*? $-\dfrac{2}{3} \cdot \dfrac{-3}{2} =$ __1__

40   **Holt Pre-Álgebra**

122

Holt Pre-Álgebra

Guía interactiva de estudio
Congruencia

Dos figuras son congruentes si sus lados y ángulos correspondientes son congruentes. Al escribir enunciados de congruencia entre un par de polígonos, los vértices de la segunda figura se escriben en orden de **correspondencia** con los de la primera figura.

Vocabulario
correspondencia

Cómo escribir enunciados de congruencia
Escribe un enunciado de congruencia para el siguiente par de polígonos.

En el polígono #2, ¿qué ángulo es congruente y ocupa la misma posición que $\angle W$ en el polígono #1? $\underline{\angle M}$

En el polígono #2, ¿qué ángulo es congruente y ocupa la misma posición que $\angle X$ en el polígono #1? $\underline{\angle N}$

Completa los siguientes enunciados.

$\angle Y \cong \angle K$, por lo tanto, $\underline{\angle Y}$ es correspondiente con $\angle K$.

$\angle Z \cong \underline{\angle L}$, por lo tanto, $\angle Z$ es correspondiente con $\underline{\angle L}$.

Completa el enunciado: el trapecio $WZYX \cong$ el trapecio $\underline{MLKN}$.

Cómo usar relaciones de congruencia para hallar los valores desconocidos
el pentágono $HIJKL \cong$ el pentágono $TPQRS$

A. Halla m.
¿Qué ángulo es correspondiente con $\angle K$? $\underline{\angle R}$
¿Cuál es la medida de estos ángulos? $\underline{100°}$
$5m = 100$ Escribe una ecuación para hallar m.
$\dfrac{5m}{5} = \dfrac{100}{5}$ Divide para despejar m.
$m = \underline{20}$ Halla el valor de m.

B. Halla n.
¿A qué lado corresponde $n + 10$? $\underline{SR}$
$n + 10 = 20$ Escribe una ecuación.
$\underline{-10} \quad \underline{-10}$ Cancela la suma.
$n = \underline{10}$ Halla el valor de n.

Guía interactiva de estudio
Transformaciones

Existen tres tipos de **transformaciones:**
Traslación: deslizar una figura a lo largo de una línea sin girarla.
Rotación: girar una figura alrededor de un punto llamado **centro de rotación.**
Reflexión: voltear una figura a través de una línea para crear una imagen idéntica.

Vocabulario
centro de rotación
reflexión
rotación
transformación
traslación

Cómo identificar transformaciones
Identifica cada transformación como traslación, rotación, reflexión o ninguna de las anteriores.

A. ¿Qué punto es correspondiente con A? $\underline{A'}$
¿Puedes girar la figura original para hacerla coincidir con la nueva figura? $\underline{no}$
¿Puedes deslizar la figura original para hacerla coincidir con la nueva figura? $\underline{no}$
¿Puedes dar vuelta a la figura original para hacerla coincidir con la nueva figura? $\underline{sí}$
¿Qué tipo de transformación se muestra? $\underline{una\ reflexión}$
La imagen de una traslación, rotación o reflexión es $\underline{congruente}$ con la figura original.

B. ¿Muestra el triángulo ZXY una rotación? $\underline{no}$
¿Qué transformación ocurrió del triángulo ZXY al triángulo $Z'X'Y'$? $\underline{una\ traslación}$

Cómo dibujar transformaciones
Dibuja la imagen de cada figura después de cada transformación.

A. Una rotación de 90° en el sentido de las manecillas del reloj alrededor del punto D
Traza la figura original.
¿En qué dirección avanzan las manecillas de un reloj, a la izquierda o a la derecha? $\underline{a\ la\ derecha}$
Coloca tu lápiz en el punto D y gira 90° en sentido de las manecillas del reloj. Rotula los vértices.

B. Reflexión a través de $\overline{RS}$
¿Qué significa reflexión? $\underline{voltear\ la\ figura}$
¿Sobre qué línea debes reflejar el triángulo? $\underline{RS}$
Dibuja el triángulo. Rotula los vértices.

Guía interactiva de estudio
Simetría

Una figura con **simetría axial** se puede dividir en dos imágenes idénticas si dibujas una línea que atraviese la figura. Esta línea recibe el nombre de **eje de simetría.**

Una figura con **simetría de rotación** se puede girar sobre un punto de forma que coincida consigo misma.

Vocabulario
simetría axial
eje de simetría
simetría de rotación

Cómo dibujar figuras con simetría axial
Completa cada figura. La línea punteada es el eje de simetría.

Si doblas una figura sobre su eje de simetría, ¿qué sucede con ambas mitades? $\underline{Coinciden\ de\ forma\ exacta}$.

A. Dibuja la otra mitad de la figura.

B. Dibuja la otra mitad de la figura.

C. Completa la figura.

D. Completa la figura.

Cómo dibujar figuras con simetría de rotación
Completa la figura. El punto es el centro de rotación.

La rotación debe ser menor de $\underline{360}$ grados.

La simetría de rotación indica que puedes hacer girar la figura sobre un punto, de forma que $\underline{coincida}$ consigo misma.

A. En una rotación triple una figura coincidirá consigo misma cada $\underline{120}$ grados. Completa la figura.

B. En una rotación séxtupla una figura coincidirá consigo misma cada $\underline{60}$ grados. Completa la figura.

Guía interactiva de estudio
Teselados

Un **teselado** es un patrón repetido de polígonos que cubren un plano sin dejar espacios vacíos.

Vocabulario
teselado

Ejemplo de un teselado
¿Es el patrón a la derecha un teselado? $\underline{sí}$
¿Cómo lo sabes? $\underline{Es\ un\ patrón\ repetido}$
$\underline{de\ polígonos\ que\ cubren\ un\ plano\ sin\ dejar}$
$\underline{espacios\ vacíos.}$
¿Qué figuras forman el patrón? $\underline{hexágonos,}$
$\underline{cuadrados\ y\ triángulos}$
Continúa el patrón con las mismas figuras.

Cómo crear un teselado
A. Haz un teselado con el paralelogramo $WXYZ$.
¿Pueden trasladarse los cuadriláteros en un teselado? $\underline{no}$
Haz un teselado con el cuadrilátero.

B. Usa el pentágono para demostrar por qué no es posible crear un teselado con pentágonos regulares.

No es posible crear un teselado porque hay $\underline{espacios}$ entre las figuras.

Guía interactiva de estudio
Perímetro y área de rectángulos y paralelogramos

Para hallar el **perímetro** de una figura, suma las longitudes de todos sus lados.

Vocabulario
área
perímetro

Cómo hallar el perímetro de rectángulos y paralelogramos
Halla el perímetro de la figura.

$p = $ _2 b + 2 h_   Escribe la fórmula del perímetro de un rectángulo.

$p = 2\left(\underline{16}\right) + 2\left(\underline{12}\right)$ ¿Cuánto valen b y h?

$p = $ 32 + 24   Multiplica.

$p = \underline{56}$ Suma.

El perímetro es $\underline{56}$ unidades.

El **área** de un rectángulo o paralelogramo se halla al multiplicar la base por la altura, es decir, bh.

Cómo usar una gráfica para hallar el área de una figura
Traza la figura con los vértices que se dan a continuación. Luego halla el área de la figura. $(-3, -2), (1, -2), (1, 1), (-3, 1)$

Traza los puntos en la gráfica.

¿Cuál es la base? _4_ ¿Cuál es la altura? _3_

$A = bh$ Escribe la fórmula del área.

$A = 4 \cdot 3$ Sustituye con la base y la altura.

$A = \underline{12}$ unidades^2 Multiplica.

Cómo hallar el área y el perímetro de una figura compuesta
Halla el perímetro y el área de la figura.

¿Cómo hallas el perímetro?   _sumo los lados_

Completa la fórmula.

$p = 15 + \underline{8} + 7 + \underline{4} + 5 + \underline{4} + 3 + 8$

$p = \underline{54}$ unidades

¿Cuántos rectángulos hay? _2_

¿Cuál es la fórmula del área de un rectángulo? _$A = bh$_

$A = \left(15 \cdot \underline{8}\right) + \left(4 \cdot \underline{5}\right)$ Halla el área de cada rectángulo.

$A = 120 + \underline{20}$ Multiplica.

$A = \underline{140}$ unidades^2 Suma.

Holt Pre-Álgebra

Guía interactiva de estudio
Perímetro y área de triángulos y trapecios

Para hallar el perímetro de un triángulo o un trapecio, halla el total de la longitud de sus lados. Usa estas fórmulas para hallar el área.

Área del triángulo: $A = \frac{1}{2}bh$ Área del trapecio: $A = \frac{1}{2}h(b_1 + b_2)$

Cómo hallar perímetros de triángulos y trapecios
Halla el perímetro de cada figura.

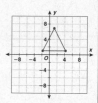

A. Halla el perímetro del triángulo.

Escribe la definición de perímetro.

Es la distancia alrededor de un objeto.

$p = 5 + \underline{8} + 10$ Completa la suma.

$p = \underline{23}$ unidades   Suma. ¿Cuál es el perímetro?

B. Halla el perímetro del trapecio.

¿Cómo hallas el perímetro?

Sumo las longitudes de los lados.

$p = 8 + \underline{12} + 15 + \underline{5}$ Completa la suma.

$p = \underline{40}$ unidades   Suma.

Cómo hallar el área de triángulos y trapecios
Traza y halla el área de cada figura con los vértices que se dan: $(-2, 1), (1, 7), (4, 1)$.

Traza y une los puntos $(-2, 1), (1, 7)$ y $(4, 1)$.

¿Cuál es la base? _6_ ¿Cuál es la altura? _6_

$A = \frac{1}{2}bh$ ¿Cuál es la fórmula del área de un triángulo?

$A = \frac{1}{2} \cdot \underline{6} \cdot \underline{6}$ Sustituye con los valores de b y h.

$A = \underline{18}$ unidades^2 Multiplica.

Holt Pre-Álgebra

Guía interactiva de estudio
El Teorema de Pitágoras

El **Teorema de Pitágoras:**
$a^2 + b^2 = c^2$

Vocabulario
Teorema de Pitágoras

Cómo hallar la longitud de la hipotenusa
Halla la longitud de la hipotenusa.

$\underline{a^2 + b^2} = c^2$ Escribe el Teorema de Pitágoras.

$2^2 + 2^2 = c^2$ Sustituye a con _2_ y b con _2_.

$4 + 4 = c^2$ Simplifica.

$\sqrt{8} = c$ ¿Cómo se despeja c?

Con la raíz cuadrada de ambos lados de la ecuación.

$\underline{2.83} \approx c$ Usa una calculadora.

Cómo hallar la longitud de un cateto en un triángulo rectángulo
Halla el lado desconocido en el triángulo rectángulo.

$6^2 + b^2 = \underline{10}^2$ Sustituye con los valores de a y c.

$36 + b^2 = 100$

$b^2 = \underline{64}$ Despeja la variable.

$b = \sqrt{64}$ Halla la raíz cuadrada de ambos lados.

$b = \underline{8}$ La longitud del cateto desconocido es $\underline{8}$.

Cómo usar el Teorema de Pitágoras para hallar el área de un triángulo
Usa el Teorema de Pitágoras para hallar la altura de un triángulo. Luego usa la altura para hallar el área del triángulo.

$\underline{a^2 + b^2} = \underline{c^2}$ Escribe el Teorema de Pitágoras.

$a^2 + 3^2 = 6^2$ Sustituye con los valores de b y c.

$a^2 + 9 = 36$

$a^2 = 27$

$a = \sqrt{27}$ Halla la raíz cuadrada de ambos lados.

El valor de a es la altura del triángulo. Usa este valor para hallar el área.

$A = \frac{1}{2}bh$ ¿Cuál es la fórmula del área de un triángulo?

$= \frac{1}{2}\left(\underline{6}\right)\left(\sqrt{27}\right)$ ¿Con qué valores sustituyes b y h?

$= 3(\sqrt{27}) \approx \underline{15.6}$ Multiplica. Usa una calculadora.

El área del triángulo es $\underline{15.6}$ unidades cuadradas.

Holt Pre-Álgebra

Guía interactiva de estudio
Círculos

Un **círculo** es un conjunto de puntos en un plano localizados a una distancia fija de otro punto llamado **centro**.

Vocabulario
centro
círculo
circunferencia
diámetro
radio

La **circunferencia** es la distancia alrededor de un círculo: $C = \pi d$ o $C = 2\pi r$. La fórmula del área de un círculo es $A = \pi r^2$.

Cómo hallar la circunferencia de un círculo
Halla la circunferencia de cada círculo en términos de π y al décimo de unidad más cercano. Usa 3.14 como valor de π.

A. un círculo con un radio de 6 cm

$C = \underline{2\pi r}$ Escribe la fórmula de la circunferencia del círculo si conoces el radio.

$C = 2\pi\left(\underline{6}\right)$ ¿Con qué valor sustituyes r?

$C = \underline{12}\pi$ cm   Multiplica.

Si usas una calculadora, 12π es $\approx \underline{37.68}$ cm.

¿Cómo escribes 37.68 redondeado al décimo más cercano? $\underline{37.7}$

B. un círculo con un diámetro de 2.5 pulg

$C = \underline{\pi d}$ Escribe la fórmula de la circunferencia si conoces el diámetro.

$C = \pi\left(\underline{2.5}\right)$ Sustituye con el valor de d en la ecuación.

$C = 2.5\pi$ pulg   Multiplica.

$\approx \underline{7.9}$ pulg   Usa una calculadora. Redondea al décimo más cercano.

Cómo hallar el área de un círculo.
Halla el área del círculo en términos de π y al décimo más cercano. Usa 3.14 como valor de π.

un círculo con un diámetro de 2.5 pulg

$A = \pi r^2$

$r = \frac{d}{2} = \frac{2.5}{2} = \underline{1.25}$ ¿Cuál es la relación entre el radio y el diámetro de un círculo?

El radio es la mitad del diámetro.

$A = \pi\left(\underline{1.25}^2\right)$ Sustituye con el valor de r en la fórmula.

$A \approx \underline{4.9}$ pulg^2 ¿Cuál es el área, redondeada al décimo más cercano?

Holt Pre-Álgebra

Holt Pre-Álgebra

Cómo dibujar figuras tridimensionales

En una figura tridimensional, una **cara** es una superficie plana; una **arista** es el punto donde dos caras se encuentran; y un **vértice** es el punto donde se unen tres o más aristas.

La **perspectiva** es una técnica que hace que los dibujos de objetos tridimensionales parezcan tener profundidad y distancia.

Vocabulario
arista
cara
perspectiva
vértice

Cómo dibujar una caja rectangular
Usa los puntos isométricos al final de la página para dibujar una caja rectangular de 3 unidades de largo, 2 de profundidad y 4 de altura.

Paso 1: Dibuja las aristas de la cara inferior. Debe parecer un paralelogramo.

¿Cuántas unidades debe medir el largo? __3__

¿Cuántas unidades debe medir el ancho? __2__

¿Qué cuadrilátero resulta? __un paralelogramo__

Paso 2: Dibuja los segmentos verticales.

¿Cuánto deben medir estos segmentos? __4__

Paso 3: Para dibujar la cara superior, une las líneas verticales y forma un paralelogramo.

¿Cuántas unidades mide la figura de largo? __3__

¿Cuántas unidades mide la figura de ancho? __2__

Paso 4: Remarca las líneas. Usa líneas continuas para las aristas visibles y líneas punteadas para las aristas que no se ven.

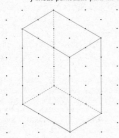

Volumen de prismas y cilindros

Un **prisma** es una figura tridimensional cuyo nombre se deriva de la forma de su base. El volumen de un sólido es el número de unidades cúbicas necesarias para llenarlo. Usa estas fórmulas para hallar el volumen.

Vocabulario
cilindro
prisma
prisma rectangular
prisma triangular

Prisma: $V = Bh$ Cilindro: $V = Bh = (\pi r^2)h$

Cómo hallar el volumen redondeado al décimo de unidad más cercano.

A. Un prisma rectangular con 2 m por 4 m de base y 8 m de altura.

¿Qué forma tiene la base? __rectángulo__

¿Cómo hallas el área de un rectángulo?
__multiplico la base por la altura__

$B = 2 \cdot 4 = $ __8__ m^2 Halla el área de la base.

$V = $ __Bh__   ¿Cuál es la fórmula del volumen de un prisma?

$V = 8 \cdot $ __8__   Sustituye con los valores conocidos en la fórmula.

$V = $ __64__ m^3 ¿Cuál es el volumen?

B. ¿Qué forma tiene la base del cilindro? __círculo__

¿Cómo hallas el área de la base? __$A = \pi r^2$__

¿Cuánto mide el radio? __6 m__

$B = \pi(6^2)$ Halla el área de la base.

$B = $ __36π__ m^2

$V = $ __Bh__   Escribe la fórmula del volumen de un cilindro.

$V = $ __36π__ $\cdot$ __12__   ¿Con qué valores sustituyes B y h?

$V = $ __432__ π Multiplica.

$V \approx $ __1356.5__ m^3 Multiplica.

C. ¿Qué forma tiene la base de esta figura? __triángulo__

¿Cómo hallas el área de un triángulo? __$A = \frac{1}{2}bh$__

$B = \frac{1}{2} \cdot $ __$6 \cdot 4$__ $= $ __12__ $pies^2$ ¿Cuál es el área de la base?

¿Cuál es la fórmula del volumen de un prisma? __$V = Bh$__

¿Con qué valores sustituyes B y h? __12 y 13__

$V = Bh$ Halla el volumen del prisma.

$V = $ __12__ $\cdot$ __13__

$V = $ __156__ $pies^3$

Volumen de pirámides y conos

Una **pirámide** recibe su nombre por la forma de su base. Un **cono** siempre tiene una base circular. La altura de una pirámide o cono es la distancia desde su punto más alto hasta la base, siguiendo una línea perpendicular. Usa estas fórmulas para calcular volumen.

Vocabulario
cono
pirámide

Pirámide: $V = \frac{1}{3}Bh$ Cono: $V = \frac{1}{3}\pi r^2 h$

Cómo hallar el volumen de pirámides y conos
Halla el volumen.

A. ¿Qué forma tiene la base de la figura? __cuadrado__

¿Cómo hallas el área de la base?
__multiplico la longitud por el ancho__

$B = 6 \cdot 6 = 36$ $pulg^2$

$V = \frac{1}{3}Bh$ En la fórmula del volumen, ¿qué representa la letra h?
__la altura__

¿Qué representa la letra B? __el área de la base__

$V = \frac{1}{3}($ __$36 \cdot 9$__ $)$ ¿Con qué valores sustituyes B y h?

$V = $ __108__ $pulg^3$ ¿Cuál es el volumen de la pirámide?

B. ¿Qué figura se muestra a la derecha? __cono__

¿Qué forma tiene su base? __círculo__

¿Cómo hallas el área de la base? __πr^2__

Halla el área de la base. $A = \pi$ __8__ $^2 = $ __64__ π $pies^2$

¿Cuál es la fórmula del volumen de un cono? __$V = \frac{1}{3}Bh$__

Sustituye B y h. $V = \frac{1}{3}($ __$64\pi \cdot$__ __12__ $)$

$V = $ __256__ π Usa 3.14 como valor de π.

$V = $ __803.84__ $pies^3$ Multiplica.

Área total de prismas y cilindros

El **área total**, S, es la suma del área de todas las caras de una figura.
Prisma: $S = 2B + F$
Cilindro: $S = 2\pi r^2 + 2\pi rh$

Vocabulario
cara lateral
superficie lateral
área total

Cómo hallar el área total
Halla el área total de la figura.

A. ¿Qué forma tiene la figura? __cilindro__

¿Cuál es la fórmula del área total de un cilindro?

$S = $ __$2\pi r^2$__ $+$ __$2\pi rh$__

¿Cuál es el radio de la figura? __6 pulg__

¿Cuál es la altura de la figura? __9 pulg__

$S = 2\pi r^2 + 2\pi rh$

$S = 2\pi($ __6__ $)^2 + 2\pi($ __6__ $)($ __9__ $)$ Sustituye con los valores de r y h.

$S = 2\pi($ __36__ $) + 2\pi($ __54__ $)$ Sigue el orden de las operaciones.

$S = $ __72__ $\pi + 108\pi$ Multiplica.

$S = $ __180__ π Suma.

Si usas 3.14 como valor de π, el área total de la figura es aproximadamente __565.2__ $pulg^2$.

B. ¿Qué forma tiene la figura? __prisma triangular__

¿Qué forma tienen las bases? __triángulos__

¿Qué forma tienen las **caras laterales** (los paralelogramos que se unen con las bases)? __rectángulos__

¿Cómo hallas el área de la base? __$A = \frac{1}{2}bh$__

$S = 2B + ph$ ¿Qué representa el número 2 en esta fórmula? __el número de bases__

En la fórmula, p representa el __perímetro__ y h representa la __altura__

$S = 2B + ph$

$S = 2\left(\frac{1}{2} \cdot 6 \cdot 4\right) + \left($ __16__ $\right)(16)$ Sustituye los valores en la fórmula.

$S = 2($ __12__ $) + $ __256__   Multiplica.

$S = $ __24__ $+ $ __256__   Multiplica.

$S = $ __280__ cm^2 Suma.

Holt Pre-Álgebra

Guía interactiva de estudio
Área total de pirámides y conos

La **altura inclinada** de una pirámide o cono se mide sobre la superficie lateral. Una **pirámide regular** tiene un polígono regular como base y sus caras laterales son congruentes. Usa estas fórmulas para hallar el área total.

Pirámide: $S = B + \frac{1}{2}p\ell$ Cono: $S = \pi r^2 + \pi r\ell$

Vocabulario
pirámide regular
cono recto
altura inclinada

Cómo hallar el área total
Halla el área total.

A. ¿Cómo se llama la figura?   <u>pirámide regular</u>

En la fórmula $S = B + \frac{1}{2}p\ell$, B representa el <u>área</u> de la base.

¿Cómo hallas el área de la base?
<u>multiplico la longitud por el ancho</u>

¿Cómo hallas el perímetro de la base?   <u>sumo todos los lados</u>

¿Cuál es la altura inclinada, ℓ, de la pirámide?   <u>18 pulg</u>

$S = \underline{B} + \frac{1}{2}\underline{p\ell}$ Escribe la fórmula del área total.

$S = \left(14 \cdot \underline{14}\right) + \frac{1}{2}\left(\underline{56}\right)(18)$ Sustituye con los valores conocidos.

$S = \left(\underline{196}\right)\left(\underline{504}\right)$ Multiplica.

$S = \underline{98,784}$ pulg^2 Multiplica.

18 pulg

14 pulg   14 pulg

B. ¿Cómo se llama la figura?   <u>cono recto</u>

En la fórmula $S = \pi r^2 + \pi r\ell$, ¿qué representa la letra r?   <u>el radio</u>

¿Cuál es la altura inclinada?   <u>10 cm</u>

$S = \underline{\pi r^2} + \pi r\ell$ Escribe la fórmula.

$S = \pi\left(\underline{4}\right)^2 + \pi\left(\underline{4}\right)\left(\underline{10}\right)$ Sustituye los valores en la fórmula.

$S = \underline{16}\pi + \underline{40}\pi$ Multiplica.

$S = \underline{56}\pi$ Suma.

$S \approx \underline{175.84}$ cm^2 Usa 3.14 como valor de π.

10 cm

4 cm

Guía interactiva de estudio
Esferas

Una **esfera** es un conjunto de puntos tridimensionales que están a la misma distancia de otro punto.

Vocabulario
círculo máximo
hemisferio
esfera

Fórmula del volumen   Fórmula del área total
$V = \frac{4}{3}\pi r^3$ $S = 4\pi r^2$

Cómo hallar el volumen de una esfera
Halla el volumen de una esfera con un radio de 2 pies, en términos de π y al décimo de unidad más cercano.

¿Cuál es la fórmula del volumen de una esfera? $V = \left(\dfrac{4}{3}\right)\pi r^3$

¿Con qué valor sustituyes r? $V = \left(\dfrac{4}{3}\right)\pi\left(\underline{2}\right)^3$

Simplifica la potencia. $V = \frac{4}{3}\pi\underline{8}$

Multiplica. $V = \frac{32}{3}\pi$

Usa 3.14 como valor de π. $V = \underline{33.5}$ pies^3

El volumen de una esfera con un radio de 2 pies es <u>33.5 pies^3</u>.

El área total de una esfera es 4 veces el área de un **círculo máximo**. Un **círculo máximo** es la arista de un **hemisferio**. Un hemisferio es la mitad de una esfera.

Cómo hallar el área total de una esfera
Halla el área total de la esfera en términos de π y al décimo más cercano.

$S = \underline{4\pi r^2}$ Escribe la fórmula del área total de una esfera.

$S = 4\pi\underline{6}^2$ ¿Con qué valor sustituyes r?

$S = 4\pi\left(\underline{36}\right)$ Simplifica la potencia.

$S = \underline{144}\,\pi$ Multiplica.

$S \approx \underline{452.2}$ pulg^2 Usa 3.14 como valor de π.

El área total de una esfera con un radio de 6 pulg es <u>452.2 pulg^2</u>.

6 pulg

Guía interactiva de estudio
Razones y proporciones

Una **razón** es una comparación entre dos cantidades mediante una división. Las razones equivalentes son aquellas que hacen la misma comparación. Una **proporción** está formada por razones equivalentes.

Vocabulario
razón equivalente
proporción
razón

Cómo encontrar razones equivalentes
Encuentra dos razones que sean equivalentes a la razón de $\frac{4}{6}$.

$\frac{4}{6} = \frac{4 \cdot 2}{6 \cdot 2}$ Si multiplicas el numerador por 2, ¿por qué número debes multiplicar el denominador?

$= \frac{8}{12}$ ¿Cuál es la nueva fracción?

$\frac{4}{6} = \frac{4 \div 2}{6 \div 2}$ Si divides el numerador entre 2, también debes dividir el <u>denominador</u> entre 2.

$= \frac{2}{3}$ ¿Cuál es la nueva fracción?

Las dos razones equivalentes a $\frac{4}{6}$ son $\frac{8}{12}$ y $\frac{2}{3}$.

Cómo determinar si dos razones forman una proporción
Simplifica e indica si las razones forman una proporción.

A. $\frac{20}{45}$ y $\frac{8}{18}$

$\frac{20}{45}$ $\frac{8}{18}$

$\frac{20 \div 5}{45 \div 5}$ Divide el numerador y el denominador entre el MCD. $\frac{8 \div 2}{18 \div 2}$

$= \frac{4}{9}$ ¿Cuál es la fracción simplificada? $= \frac{4}{9}$

$\frac{4}{9} \boxed{=} \frac{4}{9}$ ¿Son equivalentes las fracciones? <u>sí</u>   ¿Forman una proporción? <u>sí</u>

B. $\frac{16}{20}$ y $\frac{10}{15}$

$\frac{16}{20}$ simplificada $= \frac{4}{5}$ $\frac{10}{15}$ simplificada $= \frac{2}{3}$

¿Son equivalentes las fracciones? <u>no</u>   ¿Forman una proporción? <u>no</u>

Guía interactiva de estudio
Razones, relaciones y relaciones unitarias

Una **relación** compara dos cantidades expresadas con unidades diferentes. Las **relaciones unitarias** son razones simplificadas en donde la segunda cantidad es uno. El **precio unitario** es una relación unitaria que compara el costo de los artículos.

Vocabulario
relación
precio unitario
relación unitaria

Aplicación
El Ford Mustang modelo 1996 mide 20 pies de largo y 6 pies de anchura. Halla la razón de su longitud a su anchura en su mínima expresión.

¿Cuál es la longitud del auto? <u>20 pies</u>   ¿Cuál es la anchura del auto? <u>6 pies</u>

¿Cuál es la relación $\frac{\text{longitud}}{\text{anchura}}$? $\frac{20}{6}$ ¿Cuál es la razón en su mínima expresión? $\frac{10}{3}$

Cómo usar una gráfica de barras para determinar relaciones
La gráfica muestra el número de nacimientos en tres estados durante 1999. Usa la gráfica para hallar el número de nacimientos diarios por estado, redondeado al número cabal más cercano.

Indiana $= \frac{85,489}{365 \text{ días}} = \frac{234}{1 \text{ día}}$

Carolina del Norte $= \frac{113,795}{365 \text{ días}} = \frac{312}{1 \text{ día}}$

Virginia $= \frac{95,469}{365 \text{ días}} = \frac{262}{1 \text{ día}}$

Nacimientos en 1999

85,489   113,795   95,469

Indiana   Carolina del Norte   Virginia

Estados

Nacimientos

¿Cuál de los tres estados tiene la tasa de nacimientos más alta? <u>Carolina del Norte</u>

Cómo hallar precios unitarios para comparar costos
Una caja de cereal de 14 onzas cuesta $3.29; una caja de 20 onzas cuesta $4.19. ¿Cuál es la mejor opción de compra?

Para hallar la relación unitaria, divide el <u>precio</u> entre el <u>peso en onzas</u>.

$\frac{\text{precio de la caja \#1}}{\text{peso en onzas}} = \frac{\$3.29}{14} \approx \underline{\$0.235}$ $\frac{\text{precio de la caja \#2}}{\text{peso en onzas}} = \frac{\$4.19}{20} \approx \underline{\$0.2095}$

¿Por cuál de las dos cajas pagarías menos por cada onza? <u>por la de 20 onzas</u>

¿La mejor opción de compra es la caja chica o la caja grande? <u>la caja grande</u>

Guía interactiva de estudio

LECCIÓN 7-3 *Algo para saber: Cómo analizar unidades*

Para convertir unidades, multiplícalas por una o más razones de cantidades equivalentes llamadas **factores de conversión.** Multiplicar un valor por un factor de conversión es igual que multiplicarlo por una fracción que es equivalente a uno.

Vocabulario
factor de conversión

Cómo hallar factores de conversión
Halla el factor de conversión adecuado para cada conversión.

A. minutos en horas
¿Cuántos minutos hay en una hora? __60__
Para convertir minutos en horas, multiplica los minutos por $\frac{1 \text{ hora}}{60 \text{ minutos}}$.

B. litros en mililitros
¿Cuántos mililitros hay en un litro? __1000__
Para convertir litros en mililitros, multiplica los litros por $\frac{1000 \text{ mL}}{1 \text{ L}}$.

Cómo usar factores de conversión para resolver problemas
Un cine vende un promedio de 18,000 onzas de palomitas de maíz al mes. Usa factores de conversión para hallar el número de libras de palomitas que vende el cine en un mes.

¿Cuántas onzas hay en una libra? __16__

¿Cuál es el factor de conversión? $\frac{1 \text{ lb}}{16 \text{ oz}}$

$\frac{18,000 \text{ oz}}{1 \text{ mes}} \cdot \frac{1 \text{ lb}}{16 \text{ oz}}$ Multiplica por el factor de conversión.

$= \frac{18,000 \text{ oz} \cdot 1 \text{ lb}}{1 \text{ mes} \cdot 16 \text{ oz}}$ ¿Qué unidades se cancelan? __onzas__

$= \frac{1125 \text{ lb}}{\text{mes}}$ Divide. ¿Qué unidades quedan?

El cine vende __1125 lb__ de palomitas al mes.

Holt Pre-Álgebra

Guía interactiva de estudio

LECCIÓN 7-4 *Cómo resolver proporciones*

Los **productos cruzados** de las proporciones son iguales. Si los productos cruzados no son iguales, entonces las razones no forman una proporción.

Vocabulario
productos cruzados

Cómo usar productos cruzados para identificar proporciones
Determina si las razones son proporcionales.

A. $\frac{10}{32} = \frac{8}{28}$ **B.** $\frac{15}{25} = \frac{6}{10}$

$\frac{10}{32} \diagup\!\!\!\!\diagdown \frac{8}{28}$ Halla los productos cruzados. $\frac{15}{25} \diagup\!\!\!\!\diagdown \frac{6}{10}$ Halla los productos cruzados.

$10 \cdot 28 = $ __280__ $15 \cdot 10 = $ __150__

$32 \cdot 8 = $ __256__ $25 \cdot 6 = $ __150__

¿Son iguales los productos cruzados? __no__   ¿Son iguales los productos cruzados? __sí__

¿Son proporcionales las razones? __no__   ¿Son proporcionales las razones? __sí__

C. Una botella de fertilizante líquido contiene una parte de fertilizante y 16 partes de agua. ¿Una mezcla de 68 oz de agua y 4 oz de fertilizante es proporcional a la razón que contiene la botella?

¿Cuál es la razón de agua a fertilizante que contiene
la botella? $\frac{1}{16}$

¿Cuál es la razón de agua a fertilizante que contiene la mezcla? $\frac{4}{68}$

$\frac{1}{16} = \frac{4}{68}$ ¿Cuáles son los productos cruzados? __68 y 64__

¿Son iguales? __no__

¿Es ésta una mezcla correcta del fertilizante? __no__

Cómo resolver proporciones
Resuelve cada proporción.

A. $\frac{12}{20} = \frac{n}{25}$ **B.** $\frac{9}{x} = \frac{57}{19}$

¿Cuáles son los productos cruzados?   ¿Cuáles son los productos cruzados?

$20n = 300$ $57x = 171$

Divide para despejar n. $n = $ __15__   Divide para despejar x. $x = $ __3__

Comprueba: *Comprueba:*
¿Es $\frac{12}{20} = \frac{15}{25}$? __sí__   ¿Es $\frac{9}{3} = \frac{57}{19}$? __sí__

Holt Pre-Álgebra

Guía interactiva de estudio

LECCIÓN 7-5 *Dilataciones*

Una **dilatación** es el aumento o reducción de una figura sin cambiar su forma. El **factor de escala** es el que determina cuánto aumenta o disminuye el tamaño de una figura. El **centro de dilatación** es un punto fijo que une cada par de vértices correspondientes.

Vocabulario
centro de dilatación
dilatación
factor de escala

Cómo identificar dilataciones
Indica si cada transformación es una dilatación.

A.   **B.**

7 cm   14 cm   12 cm   14 cm   28 cm   24 cm

36 pulg   36 pulg   9 pulg   9 pulg   3.25 pulg   13 pulg

¿Es una dilatación? __SÍ__   ¿Es una dilatación? __SÍ__

Cómo usar el origen como centro de una dilatación
Haz una dilatación de la figura con un factor de escala de 1.5 y el punto P como centro de dilatación.

¿Por qué número debes multiplicar cada lado? __1.5__

¿Cuál es la longitud del lado $A'B'$? __10.8__

¿Cuál es la longitud del lado $B'C'$? __6__

Cómo dilatar una figura
Haz una dilatación de la figura con el factor de escala de $\frac{3}{4}$.
¿Cuáles son las coordenadas de la imagen?

¿Por qué número debes multiplicar cada coordenada?
__por el factor de escala, $\frac{3}{4}$__

$\triangle ABC$ $\triangle A'B'C'$

$A(2, 6) \rightarrow A'\left(2 \cdot \frac{3}{4}, 6 \cdot \frac{3}{4}\right) \rightarrow A'$ __(1.5, 4.5)__

$B(4, 6) \rightarrow B'\left(4 \cdot \frac{3}{4}, 6 \cdot \frac{3}{4}\right) \rightarrow B'$ __(3, 4.5)__

$C(4, 8) \rightarrow C'\left(4 \cdot \frac{3}{4}, 8 \cdot \frac{3}{4}\right) \rightarrow C'$ __(3, 6)__

Traza la figura dilatada en el mismo plano cartesiano.

Holt Pre-Álgebra

Guía interactiva de estudio

LECCIÓN 7-6 *Figuras semejantes*

Las figuras congruentes tienen el mismo tamaño y forma, mientras que las figuras **semejantes** tienen el mismo tamaño pero no siempre la misma forma. En los polígonos semejantes, los ángulos correspondientes deben ser congruentes y las longitudes de los lados correspondientes deben formar razones equivalentes.

Vocabulario
semejantes

Cómo usar factores de escala para hallar las dimensiones que faltan
Se hace una reducción de una fotografía que mide 6 pulgadas por 4 pulgadas para colocarla en un portallaves. Si la longitud de la reducción de la foto es de 1.5 pulg, ¿cuál debe ser su anchura para que ambas fotografías sean semejantes?

¿Cuál es la longitud conocida de la reducción de la foto? __1.5 pulg__

¿Cuál es la longitud correspondiente de la foto original? __4 pulg__

$\frac{1.5}{4} = 0.375$ Divide la longitud conocida entre la longitud correspondiente.
Éste es el **factor de escala.**

6 pulg × __0.375__ = __2.25__   Multiplica la anchura de la fotografía original por el factor de escala.

¿Cuál es la anchura de la nueva fotografía? __2.25 pulg__

Cómo usar razones equivalentes para hallar las dimensiones que faltan
Un arquitecto hace el plano de una casa. La casa mide 15 pulgadas de longitud y 6 de anchura en el plano. Si la longitud real es de 60 pies, ¿cuál es la anchura real?

¿Cuál es la longitud de la casa en el plano? __15 pulg__

¿Cuál es la anchura de la casa en el plano? __6 pulg__

¿Cuál es la longitud real de la casa? __60 pies__

¿Qué necesitas saber? __la anchura real__

Escribe una proporción como se muestra.

$\frac{\text{longitud}}{\text{anchura}} = \frac{\text{longitud real}}{\text{anchura real}}$ $\frac{15 \text{ pulg}}{6 \text{ pulg}} = \frac{60 \text{ pies}}{x}$

¿Cuáles son los productos cruzados? __15 pulg__ · x pies = __60 pies__ · 6 pulg.

¿Están expresados en las mismas unidades ambos lados de la ecuación? __SÍ__ Cancela las unidades.

Multiplica cada lado. $15x = $ __360__

Divide para despejar x. $x = $ __24__

¿Cuál es la anchura real de la casa? __24 pies__

Holt Pre-Álgebra

Holt Pre-Álgebra

LECCIÓN 7-7 Guía interactiva de estudio
Dibujos a escala

Un **dibujo a escala** es un dibujo bidimensional que representa de manera precisa y es matemáticamente semejante a un objeto real. La **escala** determina la razón de las dimensiones del dibujo al objeto real. Cuando el dibujo a escala es más pequeño que el objeto real, se trata de una **reducción**.

Cómo usar proporciones para hallar escalas o longitudes

A. La longitud de un objeto en un dibujo a escala es de 3 pulg, pero su longitud real es de 18 pies. Si la proporción es de 1 pulg: _?_ pies, ¿cuál es la escala?

¿Cuál es la proporción si usas la $\frac{\text{longitud de escala}}{\text{longitud real}}$? $\frac{1 \text{ pulg}}{x \text{ pies}} = \frac{3 \text{ pulg}}{18 \text{ pies}}$

¿Cuáles son los productos cruzados? $1 \cdot \underline{18} = \underline{x} \cdot 3$

Resuelve la proporción. $x = \underline{6}$

¿Cuál es la escala? 1 pulg: $\underline{6}$ pies

B. La longitud de un objeto en un dibujo a escala es de 5.5 cm. Si la escala es 1 cm:3 m, ¿cuál es la longitud real del objeto?

¿Cuál es la proporción si usas la $\frac{\text{longitud de escala}}{\text{longitud real}}$? $\frac{1 \text{ cm}}{3 \text{ m}} = \frac{5.5 \text{ cm}}{x \text{ m}}$

¿Cuáles son los productos cruzados? $\underline{1} \cdot x = 5.5 \cdot \underline{3}$

$x = \underline{16.5}$

¿Cuál es la longitud real? $\underline{16.5 \text{ m}}$

Cómo usar escalas y dibujos a escala para hallar alturas

A. Si en un dibujo con una escala de $\frac{1}{4}$ de pulgada una ventana mide 2.5 pulg de largo, ¿cuántos pies mide la ventana real?

$\frac{0.25 \text{ pulg}}{1 \text{ pie}} = \frac{2.5 \text{ pulg}}{x \text{ pie}}$ Escribe la proporción usando la $\frac{\text{longitud de escala}}{\text{longitud real}}$.

$\underline{0.25} \cdot x = 1 \cdot \underline{2.5}$ ¿Cuáles son los productos cruzados?

$x = \underline{10}$ Despeja x.

¿Cuál es la longitud real de la ventana? $\underline{10 \text{ pies}}$

B. ¿Cuántos pies mediría la ventana si se usara una longitud de escala de $\frac{1}{2}$ pulgada?

$\frac{0.5 \text{ pulg}}{1 \text{ pie}} = \frac{2.5 \text{ pulg}}{x \text{ pies}}$ Escribe la proporción usando la $\frac{\text{longitud de escala}}{\text{longitud real}}$.

$x = \underline{5}$ Multiplica los productos cruzados y halla el valor de x.

¿Cuál es la longitud real de la ventana? $\underline{5 \text{ pies}}$

61

LECCIÓN 7-8 Guía interactiva de estudio
Modelos a escala

Un **modelo a escala** es un modelo tridimensional que representa con precisión un objeto sólido. La escala determina la razón de las dimensiones del modelo a las dimensiones reales.

Cómo analizar y clasificar factores de escala
Determina si la escala reduce, aumenta o conserva las dimensiones del objeto.

A. 1 pie:6 pulg

$\frac{1 \text{ pie}}{6 \text{ pulg}} = \frac{12 \text{ pulg}}{6 \text{ pulg}} = \underline{2}$ Convierte 1 pie en pulgadas. Simplifica.

¿La escala reduce, aumenta o conserva las dimensiones del objeto? $\underline{\text{las aumenta}}$

¿Cuántas veces? $\underline{2}$

B. 10 mm:1 cm

$\frac{10 \text{ mm}}{1 \text{ cm}} = \frac{1 \text{ cm}}{1 \text{ cm}} = \underline{1}$ ¿Cuántos mm hay en 1 cm? $\underline{10}$

¿La escala reduce, aumenta o conserva las dimensiones del objeto? $\underline{\text{las conserva}}$

¿Cómo lo sabes? $\underline{\text{La fracción es igual a 1}}$

C. 8 pies:3 yd

$\frac{8 \text{ pies}}{3 \text{ yd}} = \frac{8 \text{ pies}}{9 \text{ pies}} = \frac{8}{9}$ ¿Cuántos pies hay en 3 yardas? $\underline{9}$

¿La escala reduce, aumenta o conserva las dimensiones del objeto? $\underline{\text{las reduce}}$

¿Cuál es la escala? $\frac{8}{9}$

Cómo hallar factores de escala
¿Qué factor de escala relaciona el ala de 10 pulg de largo de un avión modelo con el ala real del avión Skyraider que mide 60 pies?

¿Cuál es la escala? $\underline{10 \text{ pulg}:60 \text{ pies}}$

Escribe la escala como una razón y simplifícala.

$\frac{10 \text{ pulg}}{60 \text{ pies}} = \frac{1 \text{ pulg}}{6 \text{ pies}} = \frac{1 \text{ pulg}}{72 \text{ pulg}}$

¿Cuál es el factor de escala? $\underline{1:72}$

62

LECCIÓN 7-9 Guía interactiva de estudio
Cómo aplicar escalas a las figuras tridimensionales

Al multiplicar las dimensiones lineales de un sólido por n, el área total que resulta es igual a n^2 y el volumen es igual a n^3.

Cómo aplicar escalas a modelos hechos con cubos
Se construyó un cubo de 3 cm con cubos más pequeños de 1 cm cada uno. Compara los siguientes valores.

A. la longitud de cada lado de los dos cubos

¿Cuál es la razón de los lados correspondientes? $\rightarrow \frac{3 \text{ cm}}{1 \text{ cm}} = \underline{3}$

¿Cuántas veces más grandes son los lados del cubo grande que los del cubo pequeño? $\underline{3}$

B. el área total de los cubos

¿Cuántos lados tiene un cubo? $\underline{6}$

¿Cuántas dimensiones debes usar para calcular el área? $\underline{2}$

¿Cuál es la razón de las áreas correspondientes? $\frac{54 \text{ cm}^2}{6 \text{ cm}^2} = \underline{9}$

¿Cuántas veces mayor es el área total del cubo grande que la del cubo pequeño? $\underline{9}$

C. el volumen de los dos cubos

¿Cuántas dimensiones debes usar para calcular volumen? $\underline{3}$

¿Cuál es la razón de los volúmenes correspondientes? $\frac{27 \text{ cm}^3}{1 \text{ cm}^3} = \underline{27}$

¿Cuántas veces mayor es el volumen del cubo grande que el cubo pequeño? $\underline{27}$

Aplicación
Las dimensiones de una piscina son 40 pies de longitud, 15 pies de anchura y 6 pies de profundidad. Si la piscina se llena a una relación de 16 pies cúbicos por minuto, ¿en cuánto tiempo se llenará la piscina?

$V = 40 \text{ pies} \cdot 15 \text{ pies} \cdot 6 \text{ pies} = \underline{3600 \text{ pies}^3}$ ¿Cuál es el volumen de la piscina?

$\frac{1 \text{ min}}{16 \text{ pies}^3} = \frac{x}{3600 \text{ pies}^3}$ Escribe una proporción.

$1 \text{ min} (\underline{3600 \text{ pies}^3}) = \underline{16 \text{ pies}^3} x$ Multiplica los productos cruzados.

$x = \underline{225 \text{ min}}$ Halla el valor de x.

¿En cuánto tiempo se llenará la piscina? $\underline{3 \text{ horas y 45 minutos}}$

63

LECCIÓN 8-1 Guía interactiva de estudio
Cómo relacionar decimales, fracciones y porcentajes

Los **porcentajes** son razones que se usan para comparar un número con 100.

Cómo hallar razones y porcentajes equivalentes
Halla la razón o porcentaje equivalente que falta para los incisos del A al C en la recta numérica.

A   B   C

5% $\frac{3}{8}$ 40%

A. 5%

$\frac{5}{100}$ Escribe el porcentaje como una fracción. ¿Cuál es el denominador?

$\frac{1}{20}$ Divide el numerador y el denominador entre el MCD: $\underline{5}$

B. $\frac{3}{8}$

$3 \div 8 = \underline{0.375}$ Divide el numerador entre el denominador.

$0.375 \cdot \underline{100} = \underline{37.5}$ Multiplica el cociente por 100.

Escribe el signo de porcentaje. ¿Cuál es el porcentaje equivalente de $\frac{3}{8}$? $\underline{37.5\%}$

C. 40%

$\frac{40}{100}$ Escribe como una fracción. ¿Cuál es el denominador? $\underline{100}$

$\frac{2}{5}$ Divide el numerador y el denominador entre el MCD: $\underline{20}$

Cómo encontrar fracciones, decimales y porcentajes equivalentes
Completa la tabla con los valores que faltan.
Para convertir una fracción en un decimal:
Divide el $\underline{\text{numerador}}$ entre el $\underline{\text{denominador}}$

Para convertir un decimal en un porcentaje:
$\underline{\text{Multiplica}}$ por 100 y escribe el signo de $\underline{\text{porcentaje}}$

Para convertir un decimal en una fracción:
Escribe el número sobre $\underline{100}$ y simplifica.

Para convertir un porcentaje en un decimal:
$\underline{\text{Divide}}$ entre 100 y omite el signo de $\underline{\text{porcentaje}}$

Fracción	Decimal	Porcentaje
$\frac{3}{5}$	$3 \div 5 = 0.6$	$\underline{60\%}$
$\frac{45}{100} = \frac{9}{20}$	0.45	$\underline{45\%}$
$\frac{32}{100} = \frac{8}{25}$	$\underline{0.32}$	32%

64

Guía interactiva de estudio
8-2 Cómo hallar porcentajes

Cómo hallar qué porcentaje de un número es otro número

A. ¿Qué porcentaje de 180 es 54?

La palabra "de" indica que debes __multiplicar__. La palabra "es" indica

que debes usar el signo __igual__.

$p \cdot 180 \underline{=} 54$ Escribe una ecuación para hallar el porcentaje.

$\dfrac{p \cdot 180}{180} \underline{=} \dfrac{54}{180}$ Para resolver la ecuación, __divide__ ambos lados entre 180.

$p = \underline{0.30}$ Simplifica y convierte a porcentaje.

$= \underline{30\%}$

54 es el __30%__ de 180.

B. El estado de Hawai tiene una superficie de 6425 millas cuadradas. La isla Hawai, también llamada la Gran Isla, tiene una superficie de 4035 millas cuadradas. Halla el porcentaje del estado de Hawai que ocupa la Gran Isla.

Escribe una proporción para hallar el porcentaje.
Responde: ¿4035 es a 6425 como 100 es a qué número?

$\dfrac{\text{número}}{100} = \dfrac{\text{parte}}{\text{todo}} \rightarrow$ Sustituye en la proporción. $\rightarrow \dfrac{n}{100} = \dfrac{4035}{6425}$

$n \cdot \underline{6425} = 100 \cdot \underline{4035}$ Halla los productos cruzados.

$n = \dfrac{403{,}500}{\underline{6425}}$ Halla el valor de n.

$n = 62.8$

La Gran Isla ocupa el __62.8%__ del estado de Hawai.

Cómo hallar el porcentaje de un número

Una marca de helado contiene 11 gramos de grasa por porción. Esto es el 17% de la ingesta diaria recomendada para una persona. Encuentra la ingesta total recomendada de grasa, redondeada al gramo más cercano.

Escribe una ecuación para resolver el problema.
Razona: ¿De qué número es 11 el 17%?

$\underline{0.17} \cdot n = 11$ Usa el decimal que es equivalente a 17%.

$n = \dfrac{11}{\underline{0.17}}$ __Divide__ ambos lados entre __0.17__.

$n = \underline{64.7}$ Halla el valor de n.

La ingesta diaria recomendada de grasa es de aproximadamente __65__ gramos.

Guía interactiva de estudio
8-3 Cómo hallar un número cuando se conoce un porcentaje

Cuando conoces un porcentaje puedes usarlo para hallar el número que falta y resolver el problema.

Cómo hallar un número cuando se conoce un porcentaje

A. ¿De qué número es 56 el 40%?
Escribe una ecuación para resolver el problema.

La palabra "es" indica que debes usar el signo __igual__ y la palabra "de" indica que debes __multiplicar__.

Recuerda usar el decimal que es equivalente a 40%. Así, 40% = __0.40__

$56 = 0.40 \cdot n$ Escribe la ecuación.

$\dfrac{56}{0.40} = \dfrac{0.40n}{0.40}$ Divide ambos lados entre __0.40__ para despejar la variable.

$\underline{140} = n$ Halla el valor de n.

56 es el 40% de __140__.

B. ¿De qué número es 12 el 60%?

Razona: ¿60 es a 100 como 12 es a qué número?

$\dfrac{60}{100} = \dfrac{12}{n}$ Escribe una proporción para resolver el problema.

$60 \cdot \underline{n} = 100 \cdot \underline{12}$ Encuentra los productos cruzados.

$60n = 1200$ Simplifica y resuelve la ecuación.

$\dfrac{60n}{60} = \dfrac{1200}{60}$ Divide ambos lados entre __60__ para despejar n.

$n = \underline{20}$

12 es el 60% de __20__.

Aplicación

Un CD-ROM tiene una capacidad de almacenamiento de 673 megabytes. Esto representa el 269% de la capacidad de un disco "zip". Halla la capacidad de un disco "zip", redondeada al megabyte más cercano.

Razona: ¿De qué número es 673 el 269%?

¿Qué representa la palabra "es"? __el signo igual__   Escribe 269% como un decimal. __2.69__

$673 = \underline{2.69} \cdot n$ Escribe la ecuación

$\dfrac{673}{2.69} = \dfrac{2.69n}{2.69}$ Despeja n.

$\underline{250.19} = n$ Divide.

La capacidad de almacenamiento de un disco "zip" es de __250__ megabytes.

Guía interactiva de estudio
8-4 Porcentaje de aumento y disminución

Cómo hallar el porcentaje de aumento o disminución
Halla el porcentaje de aumento o disminución de 65 a 50, redondeado al porcentaje más cercano.

Como el número se reduce, es un porcentaje de __disminución__.

$65 - 50 = \underline{15}$ Halla la cantidad de cambio de los dos números.

$15 = p \cdot 65$ Escribe una ecuación. Razona: ¿Qué porcentaje de 65 es 15?

$\dfrac{15}{65} = \dfrac{p \cdot 65}{65}$ Para hallar el valor de p, divide ambos lados entre __65__.

$\underline{0.23} = p$ Halla el valor de p.

¿Cuál es el porcentaje equivalente? __23%__

Por lo tanto, de 65 a 50 hay un __23__% de disminución.

Aplicación para hallar un porcentaje de cambio

Javier obtuvo una calificación de 72 y otra de 85 en sus últimos dos exámenes de matemáticas. ¿Cuál es el porcentaje de incremento en sus calificaciones?

$85 - 72 = \underline{13}$ Halla la cantidad de cambio entre las dos calificaciones.

$\underline{13} = p \cdot 72$ Escribe una ecuación. Razona: ¿Qué porcentaje de 72 es 13?

$\dfrac{13}{72} = \dfrac{p \cdot 72}{72}$ Divide ambos lados entre __72__ para hallar el valor de p.

$\underline{0.18} = p$ Halla el valor de p.

¿Cómo conviertes un decimal en un porcentaje? __Multiplico por 100 y agrego un signo de porcentaje o recorro el punto decimal dos posiciones a la derecha y agrego el signo de porcentaje.__

Escribe 0.18 como un porcentaje. __18%__

Javier tuvo un __18__% de incremento en sus calificaciones.

Cómo usar el porcentaje de aumento o disminución para hallar precios

Al comprar una colección de discos compactos con un precio de $60, Kaylee recibió un 15% de descuento. ¿Cuánto pagó Kaylee por la colección de discos?

Como Kaylee recibió un descuento, se trata de un porcentaje de __disminución__.

$d = \underline{0.15} \cdot 60 = \underline{9}$ Halla el 15% del precio original para determinar el descuento.

$60 \underline{-} 9 = \underline{51}$ __Resta__ el descuento del precio original.

Kaylee pagó __$51__ por la colección de discos.

Guía interactiva de estudio
8-5 Cómo estimar porcentajes

Cuando un problema no requiere de una respuesta exacta para resolverlo, puedes usar una **estimación**. Para hacer estimaciones con porcentajes, usa **números compatibles**.

Vocabulario
números compatibles
estimación

Cómo estimar con porcentajes
Estima.

A. el 48% de 64

¿Qué números compatibles puedes usar en lugar de 48% ó $\dfrac{48}{100}$?

$\dfrac{48}{100} \approx \dfrac{50}{100}$ y $\dfrac{50}{100} = \dfrac{1}{2}$

Usa los números compatibles para hacer la estimación.

$\dfrac{1}{2} \cdot 64 = \underline{32}$ Recuerda que multiplicar por $\dfrac{1}{2}$ es igual que __dividir__ entre 2.

El 48% de 64 es aproximadamente __32__.

B. el 16% de 856

¿A qué porcentaje puedes redondear 16% para facilitar la operación? __15%__

Recuerda que __15%__ = 10% + __5%__.

$15\% \cdot 856 = (\underline{10\% + 5\%}) \cdot 856$ Sustituye para simplificar.

$= \underline{10\%} \cdot 856 + \underline{5\%} \cdot 856$ Usa la propiedad __distributiva__.

$= \underline{86} + \underline{43}$

$= \underline{129}$

El 16% de 856 es aproximadamente __129__.

Aplicación

Texas es el segundo estado más grande de Estados Unidos. Su superficie es el 43% de la de Alaska, el estado más grande. Si la superficie de Alaska es 615,230 millas cuadradas, ¿cuál es la superficie aproximada de Texas?

Redondea para facilitar la estimación.

Redondea 43% a __40%__.

Redondea 615,230 millas cuadradas a __600,000 millas cuadradas__.

Razona: ¿Qué número es el 40% de 600,000?

$n = \underline{0.40} \cdot 600{,}000$ Escribe una ecuación.

$n = \underline{240{,}000}$ Multiplica.

La superficie de Texas es de aproximadamente __240,000 millas cuadradas__.

Holt Pre-Álgebra

Guía interactiva de estudio
Uso de los porcentajes

Cómo multiplicar por porcentajes para hallar comisiones
Un vendedor de una tienda de electrónicos recibe 2% de comisión por sus ventas. Si vende un televisor de pantalla gigante en $945 y un par de bocinas en $580, ¿qué comisión obtiene el vendedor?

Halla la venta total. $945 + __$580__ = __$1525__

Escribe la tasa de comisión como un porcentaje y como un docimal.
   __2% ó 0.02__

Razona: tasa de comisión • ventas = comisión

__0.02 •__ 1525 = c   Escribe una ecuación.

   __30.50__ = c   Multiplica.

La comisión que obtiene el vendedor es de __$30.50__.

Cómo multiplicar por porcentajes para hallar el impuesto de venta
Si el impuesto de venta es de 6.5%, ¿cuánto pagará Ariel por una falda de $28.70 y una blusa de $16.98?

Halla la venta total.   __$28.70 + $16.98 = $45.68__

Escribe el impuesto de venta como un porcentaje y como un decimal.
   __6.5% ó 0.065__

Razona: impuesto de venta • venta total = impuesto

__0.065 •__ 45.68 = t   Escribe una ecuación.

   __2.9692__ = t   Multiplica..

   __2.97__ ≈ t   Redondea al centavo más cercano.

Ariel pagará __$2.97__ como impuesto de venta.

Cómo usar proporciones para hallar el porcentaje de impuesto retenido

Seth gana $6600 al mes, pero tiene un impuesto retenido de $792. ¿Qué porcentaje del salario de Seth es el impuesto retenido?

Razona: ¿Qué porcentaje de $6600 es $792?
Supongamos que p es el porcentaje desconocido.

p • __6600__ = __792__   Escribe una ecuación.

p = $\frac{792}{6600}$ Divide para despejar p.

p = __0.12__   Halla el valor de p.

¿Cómo conviertes un decimal en un porcentaje? __Recorro el punto decimal dos__
__posiciones a la derecha.__

Holt Pre-Álgebra

Guía interactiva de estudio
Otros usos de los porcentajes

Vocabulario
interés
capital
tasa de interés
interés simple

El **interés simple** es el pago que se hace por el uso del dinero. En la fórmula $I = crt$, la cual se usa para calcular el interés, c es el **capital**, r es la **tasa de interés** (o rédito) y t es el tiempo.

Cómo hallar el interés y el monto total de un préstamo
Maryanne solicitó al banco un préstamo de $32,000 para remodelar su casa y piensa pagarlo en 7 años. El banco presta dinero a una tasa de interés simple del 7.5%.

A. ¿Cuánto pagará Maryanne de interés si liquida su préstamo en 7 años?

¿Cuál es el capital? __32,000__

Escribe la tasa de interés como un decimal. __0.075__

¿Cuál es el plazo del préstamo? __7 años__

$I = c \cdot r \cdot t$ Usa la fórmula.

I = __32,000__ • __0.075__ • __7__   Sustituye con los valores conocidos.

I = __16,800__   Multiplica.

Maryanne pagará __$16,800__ como interés del préstamo.

B. ¿Cuál es la cantidad total de dinero (A) que pagará Maryanne al banco?

Usa la fórmula: $c + I = A$
Sustituye el valor del capital, c, del problema original y el valor del interés, I, del ejercicio A.

__32,000__ + __16,800__ = A

   __48,800__ = A

Maryanne pagará al banco un total de __$48,800__.

Cómo hallar la tasa de interés
Para comprar un auto, Martin solicitó un préstamo de $6500 que piensa pagar en 4 años. Si le pagó al banco un total de $7865, ¿cuál es la tasa de interés simple del préstamo?

$c + I = A$

__6500__ + I = __7865__   ¿Cuál es el monto del interés?

   I = __1365__   Halla el valor de I.

__1365__ = __6500__ • r • 4   Sustituye con los valores conocidos en la fórmula I = crt.

__1365__ = __26,000__ • r   Multiplica.

__0.0525__ = r   Halla el valor de r.

Martin solicitó el préstamo con una tasa de interés anual del __5.25__ %.

Holt Pre-Álgebra

Guía interactiva de estudio
Probabilidad

Vocabulario
probabilidad
suceso

La **probabilidad** de que ocurra un **suceso** es un número entre 0 y 1 que indica cuán probable es un suceso.

Cómo hallar la probabilidad de los resultados en un espacio muestral
Indica la probabilidad de cada resultado.

A. ¿Cuál es la probabilidad de que no nieve?

¿Cuál es la probabilidad de que nieve? __20%__
Las probabilidades deben sumar 1:
P(nieve) + P(no nieve) = 1

Resultado	Nieve	No nieve
Probabilidad	20%	?

P(no nieve) = 1 − __0.20__ = __0.80__ u __80__ %

¿Cuál es la probabilidad de que no nieve? __80%__

B. Completa la tabla.

¿Qué fracción de la rueda giratoria muestra el número 1? $\frac{1}{2}$. La probabilidad de que la flecha caiga en el número 1 es $P(1) = \frac{1}{2}$.

Resultado	1	2	3	4
Probabilidad	$\frac{1}{2}$	$\frac{1}{6}$	$\frac{1}{6}$	$\frac{1}{6}$

Si la rueda se hubiera dividido en secciones iguales, ¿cuántas secciones habría? __6__ ¿Qué fracción de la rueda muestra el número 2? $\frac{1}{6}$.

La probabilidad de que la flecha caiga en el número 2 es $P(2) = \frac{1}{6}$. La probabilidad de que la flecha caiga en el número 3 es $P(3) = \frac{1}{6}$.

Cómo hallar la probabilidad de los sucesos
Un examen contiene 4 preguntas de opción múltiple. Supongamos que responde cada pregunta al azar. La tabla muestra la probabilidad de cada resultado.

Resultado	0	1	2	3	4
Probabilidad	0.4096	0.4096	0.1536	0.0256	0.0016

¿Cuál es la probabilidad de tener dos o más respuestas correctas?
¿Qué significa dos o más? __2, 3 ó 4__

P(2 ó más) = __0.1536__ + __0.0256__ + __0.0016__

P(2 ó más) = __0.1808__

Holt Pre-Álgebra

Guía interactiva de estudio
Probabilidad experimental

Probabilidad = $\frac{\text{número de veces que ocurre un suceso}}{\text{número total de pruebas}}$

Cómo estimar la probabilidad de un suceso

A. Ésta es la información registrada después de 550 giros de la rueda giratoria. Estima la probabilidad de que la flecha caiga en la sección azul.

Resultado	Rojo	Azul	Verde
Giros	216	185	149

¿Cuántos giros resultaron en la sección azul? __185__

¿Cuántas veces se hizo girar la rueda en total? __550__

Halla la probabilidad de que la flecha caiga en la sección azul:
$\frac{\text{número de veces que ocurre un suceso}}{\text{número total de pruebas}} = \frac{185}{550}$

La probabilidad de que la flecha caiga en el color azul es del __34__ %.

B. Se saca al azar una canica de una bolsa y luego se devuelve. La tabla muestra los resultados luego de 200 intentos. Estima la probabilidad de sacar una canica verde.

Resultado	Roja	Verde	Naranja	Morada	Amarilla
Intentos	65	72	32	18	13

Probabilidad ≈ $\frac{\text{canicas verdes que se sacaron}}{} = \frac{72}{200}$ = __36__ %

C. Un investigador registró el número de personas que se detuvieron a levantar una moneda del piso. De las 75 personas observadas, 32 la levantaron, 12 la patearon, 18 la levantaron y la dejaron caer y 13 la pisaron. Estima la probabilidad de que alguien levante la moneda y la deje caer de nuevo.

Completa la tabla.

Resultado	levantarla	patearla	levantarla y dejarla caer	pisarla
Personas observadas	32	12	18	13

Probabilidad ≈ $\frac{\text{personas que levantan la moneda y la dejan caer}}{\text{número de personas observadas}}$

= $\frac{18}{75}$ = __24__ %

La probabilidad de que una persona levante la moneda y la deje caer de nuevo es del __24__ % ó __0.24__ como decimal.

Holt Pre-Álgebra

Holt Pre-Álgebra

9-3 *Algo para saber: Cómo usar una simulación*

Una **simulación** consiste en representar una situación real.

Vocabulario
simulación

Cómo resolver problemas con números aleatorios
En una feria, el 35% de los niños que participan en el juego de las ranas ganan. Estima la probabilidad de que al menos 4 de los próximos 10 niños ganen.

48966	67122	23502	36056
56033	23817	30369	73211
28694	28131	96798	77484
93042	85734	16081	53686
74069	52580	18621	84479
92344	33648	80295	95300

Comprende el problema
La respuesta es la probabilidad de que un niño gane en al menos __4__ de los próximos __10__ juegos.

Haz una lista con la información importante:
¿Qué porcentaje representa la probabilidad de que un niño gane? __35%__.

Haz un plan
Usa una simulación para representar la situación. Usa los dígitos de la tabla, de dos en dos.
Como la probabilidad de ganar es el 35%, los números del 01 al __35__ representan la probabilidad de ganar. Los números del __36__ al 00 representan la probabilidad de perder.

Escribe los primeros veinte números de la tabla, de dos en dos.

| 48 | 96 | 66 | 71 | 22 | 23 | 50 | 23 | 60 | 56 |

¿Cuántos números hay entre 01 y 35? __3__

Ésto representa ganar __3__ juegos de 10 intentos.

Completa la tabla para las próximas 5 pruebas.

56	03	32	38	17	30	36	97	32	11	¿Cuántos ganan? __6__
28	69	42	81	31	96	79	87	74	84	¿Cuántos ganan? __2__
93	04	28	57	34	16	08	15	36	86	¿Cuántos ganan? __6__
74	06	95	25	80	18	62	18	44	79	¿Cuántos ganan? __4__
92	34	43	36	48	80	29	59	53	00	¿Cuántos ganan? __2__

De cada 6 pruebas, ¿cuántas veces hay 4 ó más ganadores? __3__

Basándote en la simulación, la probabilidad de que al menos cuatro de diez niños ganen el juego es __3__ de 6, es decir, el __50__%.

73

9-4 *Probabilidad teórica*

La **probabilidad teórica** se usa para estimar probabilidades al hacer suposiciones en relación con un experimento.

Vocabulario
probabilidad teórica

Probabilidad de un suceso $= \dfrac{\text{resultados igualmente probables}}{\text{total de resultados posibles}}$

Cómo calcular la probabilidad teórica
Una prueba consiste en lanzar un dado justo especialmente numerado. Hay 6 resultados posibles: 2, 4, 6, 8, 10 y 12.
¿Cuál es la probabilidad de obtener 6?
¿Qué significa dado justo? __Cada suceso es igualmente probable.__
¿Cuántos 6 se pueden obtener? __1__
La probabilidad de obtener 6 es $P(6) = \dfrac{1}{6}$.

Cómo calcular la probabilidad teórica de dos dados justos
Un experimento consiste en lanzar dos dados justos.

A. ¿Cuál es la probabilidad teórica de obtener dos números que sumen 4?
¿Cuántos resultados posibles hay? __3__

$P(\text{total} = 4) = \dfrac{3}{36} = \dfrac{1}{12}$

	1	2	3	4	5	6
1	(1, 1)	(1, 2)	(1, 3)	(1, 4)	(1, 5)	(1, 6)
2	(2, 1)	(2, 2)	(2, 3)	(2, 4)	(2, 5)	(2, 6)
3	(3, 1)	(3, 2)	(3, 3)	(3, 4)	(3, 5)	(3, 6)
4	(4, 1)	(4, 2)	(4, 3)	(4, 4)	(4, 5)	(4, 6)
5	(5, 1)	(5, 2)	(5, 3)	(5, 4)	(5, 5)	(5, 6)
6	(6, 1)	(6, 2)	(6, 3)	(6, 4)	(6, 5)	(6, 6)

B. ¿Cuál es la probabilidad de que la suma de ambos dados sea mayor que 9?
Haz una lista con los resultados posibles:
(4, 6) (5, 5) (6, 4) (5, 6) (6, 5) y (6, 6).

$P(\text{total} > 9) = \dfrac{6}{36} = \dfrac{1}{6}$

Cómo calcular la probabilidad teórica de sucesos mutuamente excluyentes
Supongamos que participas en un juego en el que se usan dos dados justos. Necesitas 9 puntos para ganar o con un resultado exacto ó 5 puntos para llegar a una casilla vacía. ¿Cuál es la probabilidad de obtener el número exacto o llegar a una casilla vacía? Usa la tabla.

¿Cuántos resultados hay para el suceso "9 puntos para ganar"? __4__
¿Cuántos resultados hay para el suceso "5 puntos para la casilla vacía"? __4__

$P(\text{ganar o casilla vacía}) = \dfrac{4}{36} + \dfrac{4}{36} = \dfrac{8}{36} = \dfrac{2}{9}$

74

9-5 *Principio fundamental de conteo*

El **Principio fundamental de conteo** establece que si hay m maneras de elegir un objeto y n maneras de elegir un segundo objeto después del primero, entonces hay $m \cdot n$ maneras de elegir ambos objetos.

Vocabulario
Principio fundamental de conteo

Cómo usar el Principio fundamental de conteo
Un estado planea emitir una nueva serie de placas con un código de 3 letras, seguidas de 2 números. Tanto las letras como los números se pueden repetir y ambos tienen la misma probabilidad de ser incluidos.

A. Halla el número posible de placas.
Usa el Principio fundamental de conteo.
Usa un espacio para cada letra o número.

| ____ | ____ | __tercera letra__ | ____ | __segundo dígito__ |
| primera letra | segunda letra | tercera letra | primer dígito | segundo dígito |

Llena los espacios con el número de opciones para cada letra y número.
¿Cuántas opciones de letras hay? __26__
¿Cuántas opciones de dígitos hay? __10__

| __26__ | __26__ | __26__ | 10 | __10__ |
| primera letra | segunda letra | tercera letra | primer número | segundo número |

Multiplica: 26 • __26__ • __26__ • 10 • __10__ = __1,757,600__
El número de placas posibles con tres letras y dos números es __1,757,600__.

B. Halla la probabilidad de obtener la placa CAT 23.
¿Todas las combinaciones son igualmente probables? __sí__
Probabilidad $= \dfrac{1}{\text{número total de placas}}$; $P(\text{CAT 23}) = \dfrac{1}{1,757,600} \approx$ __0.0000006__

C. Halla la probabilidad de que una placa no incluya la letra O.
Usa el Principio fundamental de conteo para hallar los códigos que *no* contienen la letra O.
Como la placa no puede incluir la letra O, solo hay __25__ opciones para las letras y __10__ opciones para los números.

| __25__ | __25__ | __25__ | __10__ | __10__ |
| primera letra | segunda letra | tercera letra | primer dígito | segundo dígito |

Hay __1,562,500__ códigos posibles sin la letra O.

Probabilidad $= \dfrac{1,562,500}{1,757,600} \approx$ __0.889__

75

9-6 *Permutaciones y combinaciones*

Una **permutación** es un arreglo de cosas en un orden particular.
$$_nP_r = \dfrac{n!}{(n-r)!}$$
Una **combinación** es una selección de cosas hecha en cualquier orden.
$$_nC_r = \dfrac{_nP_r}{r!} = \dfrac{n!}{r!(n-r)!}$$
Un **factorial** es el producto de todos los números cabales desde el número dado hasta 1.

Vocabulario
combinación
factorial
permutación

Cómo evaluar expresiones que contienen factoriales
Evalúa cada expresión.

A. 6!
¿Cuáles son los números cabales menores o iguales que 6? __6, 5, 4, 3, 2, 1__
Multiplica. 6 • 5 • __4 • 3 • 2 • 1__ = __720__

B. $\dfrac{8!}{3!}$
Escribe el factorial de cada número.
$\dfrac{8 \cdot 7 \cdot 6 \cdot 5 \cdot 4 \cdot 3 \cdot 2 \cdot 1}{3 \cdot 2 \cdot 1}$
Cancela los factores comunes.
Multiplica los factores restantes.
8 • __7 • 6 • 5 • 4__ = __6720__

Cómo hallar permutaciones
Hay 6 corredores en una competencia a campo traviesa. Halla las maneras en que los 6 competidores pueden llegar a la meta.
¿Cuál es la fórmula de las permutaciones?
$$_nP_r = \dfrac{n!}{(n-r)!}$$
¿Cuántos competidores participan en la carrera? $n =$ __6__
¿Cuántos competidores corren a la vez? $r =$ __6__
Sustituye con los valores en la fórmula.
$_6P_6 = \dfrac{6!}{(6-6)!} = \dfrac{6!}{0!} = \dfrac{6 \cdot 5 \cdot 4 \cdot 3 \cdot 2 \cdot 1}{1}$
$= 720$
Hay __720__ permutaciones. Ésto significa que los corredores pueden llegar de __720__ maneras diferentes a la meta.

Cómo hallar combinaciones
El consejo de estudiantes quiere seleccionar un comité de danza de 4 personas entre sus 10 integrantes. Halla las combinaciones posibles.

Halla el número de integrantes del consejo. $n =$ __10__
¿Cuántos pueden ser elegidos? $r =$ __4__
Sustituye con los valores en la fórmula.
$_{10}C_4 = \dfrac{10!}{4!(10-4)!}$
Escribe los factoriales. Cancela y multiplica.
$_{10}C_4 = \dfrac{10!}{4!(6)!} =$
$\dfrac{10 \cdot 9 \cdot 8 \cdot 7 \cdot 6 \cdot 5 \cdot 4 \cdot 3 \cdot 2 \cdot 1}{(4 \cdot 3 \cdot 2 \cdot 1)(6 \cdot 5 \cdot 4 \cdot 3 \cdot 2 \cdot 1)} = \dfrac{5040}{24}$
$= 210$
Hay __210__ maneras de formar el comité de 4 personas.

76

---

131 **Holt Pre-Álgebra**

LECCIÓN 9-7 · Guía interactiva de estudio
Sucesos independientes y dependientes

Los **sucesos independientes** son aquellos en los que el resultado del primer suceso no afecta el resultado del segundo.

Los **sucesos dependientes** son aquellos en los que el resultado del primer suceso influye en el resultado del segundo.

Cómo hallar la probabilidad de sucesos independientes
Un experimento consiste en dar vuelta 4 veces a una rueda giratoria. En cada intento todos los resultados son igualmente probables.

A. ¿Cuál es la probabilidad de caer en el número 1 las 4 veces?

¿Cuál es la probabilidad de caer en el número 1? $\dfrac{1}{4}$

¿Cuál es la fórmula para calcular sucesos independientes?

$P(A \text{ y } B) = \underline{P(A) \bullet P(B)}$

$P(1, 1, 1) = \dfrac{1}{4} \bullet \dfrac{1}{4} \bullet \dfrac{1}{4} \bullet \dfrac{1}{4} = \dfrac{1}{256} = 0.0039$

B. ¿Cuál es la probabilidad de caer en un número par las cuatro veces?

¿Cuál es la probabilidad de caer en un número par? $\dfrac{1}{2}$

¿Cambia esta probabilidad en cada intento? __no__

$P(\text{par, par, par, par}) = \dfrac{1}{2} \bullet \dfrac{1}{2} \bullet \dfrac{1}{2} \bullet \dfrac{1}{2} = \dfrac{1}{16} = \underline{0.625}$

Cómo hallar la probabilidad de los sucesos dependientes
Una bolsa contiene 6 canicas rojas, 5 azules y 4 verdes. ¿Cuál es la probabilidad de sacar 2 canicas azules de la bolsa?

Los sucesos son dependientes.

¿Cuántas canicas azules hay en la bolsa? __5__

¿Cuántas canicas hay en total? __15__

¿Cuál es la probabilidad de sacar una canica azul en el primer intento? $\dfrac{5}{15} = \dfrac{1}{3}$

¿Cuántas canicas azules quedan en la bolsa? __4__

¿Cuántas canicas quedan en total? __14__

¿Cuál es la probabilidad de sacar una canica azul en el segundo intento? $\dfrac{4}{14} = \dfrac{2}{7}$

La fórmula para calcular la probabilidad de los sucesos dependientes es $P(A) \underline{\bullet P(B)}$

Sustituye con los valores en la fórmula: $\dfrac{1}{3} \bullet \dfrac{2}{7} = \dfrac{2}{21}$

La probabilidad de sacar 2 canicas azules de la bolsa es de $\dfrac{2}{21}$.

LECCIÓN 9-8 · Guía interactiva de estudio
Probabilidades

Las **probabilidades a favor** es la razón de los resultados favorables a los resultados no favorables.

Las **probabilidades en contra** es la razón de los resultados no favorables a los resultados favorables.

Cómo estimar las probabilidades a partir de un experimento
En una excursión, 75 estudiantes bebieron jugos de frutas. Cada uno de los envases traía un juego para ganar un premio. Nueve estudiantes ganaron otro jugo gratis como premio.

A. Estima las probabilidades a favor de ganar un jugo gratis.

¿Cuántos estudiantes ganaron un jugo gratis? __9__ (resultados favorables)

¿Cuántos estudiantes no ganaron un jugo gratis? __66__ (resultados no favorables)

Las probabilidades a favor representa la razón de los resultados favorables a los resultados no favorables. Por lo tanto, las probabilidades a favor son de __9__ a 66, es decir, __3__ a __22__.

B. Estima las probabilidades en contra de ganar un jugo gratis.

¿Cuáles son las probabilidades de ganar un jugo gratis? __3 a 22__

Las probabilidades en contra de ganar un jugo gratis son (lo contrario de ganar) 22 a __3__.

Cómo convertir probabilidades en una probabilidad
Si las probabilidades a favor de ganar un emparedado gratis es de 1:15, ¿cuál es la probabilidad de ganar?

Si la posibilidad de un suceso es $a{:}b$, entonces la probabilidad del suceso es $\dfrac{a}{a+b}$.

Hay __1__ ganador por cada __15__ pesonas. Sustituye con los valores en la fórmula.

$\dfrac{1}{1 + \underline{15}} = \dfrac{1}{\underline{16}}$

La probabilidad de ganar un sándwich es de $\dfrac{1}{16}$

Cómo convertir una probabilidad en probabilidades
La probabilidad de ganar un almuerzo gratis es $\dfrac{1}{50}$. ¿Cuáles son las probabilidades a favor?

Si la probabilidad de un suceso es $\dfrac{m}{n}$, entonces las probabilidades a favor del suceso son $m{:}(n - m)$.

Hay __1__ ganador por cada __50__ personas.

¿Cuántas personas no ganan? __49__

Las probabilidades a favor son de 1:(50 − 1) ó __1:49__.

LECCIÓN 10-1 · Guía interactiva de estudio
Cómo resolver ecuaciones de dos pasos

Para resolver una ecuación debes despejar la variable. Puedes usar más de una operación para despejar la variable.

Cómo resolver ecuaciones de dos pasos
Resuelve.

A. $\dfrac{a}{3} + 7 = 15$

$\dfrac{a}{3} + 7 = 15$

$\dfrac{-7 \quad -7}{}$ ¿Qué es lo opuesto de sumar 7? __restar 7__

$\dfrac{a}{3} = 8$ Simplifica.

$3 \bullet \dfrac{a}{3} = 8 \bullet 3$ Para cancelar la división, multiplica ambos lados por __3__.

$a = 24$ Halla el valor de a.

Comprueba:

$\dfrac{a}{3} + 7 = 15$

$\dfrac{24}{3} + 7 \overset{?}{=} 15$ ¿Con qué valor sustituyes a en la ecuación? __24__

$8 + 7 \overset{?}{=} 15$ ¿Es ésta la solución de la ecuación? __SÍ__

B. $-13.6 = -3.5f - 4.5$

$-13.6 = -3.5f - 4.5$ ¿Cómo cancelas −4.5? __Sumo 4.5 en ambos lados.__

$\dfrac{+4.5 \qquad +4.5}{-9.1 = -3.5f}$ ¿Cómo despejas f?

$\dfrac{-9.1}{-3.5} = \dfrac{-3.5f}{-3.5}$ __Divido ambos lados entre −3.5.__

$2.6 = f$ Halla el valor de f. ¿Es ésta la solución de la ecuación? __SÍ__

C. $\dfrac{w + 7}{8} = 11$

¿Qué haces para cancelar la fracción?

$8 \bullet \dfrac{w + 7}{8} = 11 \bullet 8$ __Multiplico ambos lados por 8.__

$w + 7 = 88$ ¿Cuál es el siguiente paso para despejar w?

$\dfrac{-7 \qquad -7}{}$ __Resto 7 en ambos lados.__

$w = 81$ Halla el valor de w. ¿Cómo compruebas la solución?

__Sustituyo w con 81 en la ecuación original para ver si es verdadera.__

LECCIÓN 10-2 · Guía interactiva de estudio
Cómo resolver ecuaciones de varios pasos

Para resolver una ecuación debes despejar la variable. Combina los términos semejantes para despejar la variable.

Cómo resolver ecuaciones que contienen términos semejantes
Resuelve.

$4x + 12 + 8x - 24 = 36$

$\boxed{4x} + 12 + \boxed{8x} - 24 = 36$ Encierra en un círculo los términos que contienen una variable.

$12x - 12 = 36$ Combina los términos semejantes.

$\dfrac{+12 \quad +12}{12x = 48}$ Suma __12__ en ambos lados para despejar x.

$\dfrac{12x}{12} = \dfrac{48}{12}$ __Divide__ ambos lados entre 12.

$x = 4$ Simplifica.

Comprueba:

$4x + 12 + 8x - 24 = 36$

$4(\underline{4}) + 12 + 8(\underline{4}) - 24 \overset{?}{=} 36$ ¿Con qué valor sustituyes x? __4__

$\underline{16} + 12 + \underline{32} - 24 \overset{?}{=} 36$ Simplifica.

$36 = 36$ ✔

Cómo resolver ecuaciones que contienen fracciones
Resuelve.

$\dfrac{5y}{8} + \dfrac{7}{8} = \dfrac{-3}{8}$

$8 \bullet \left(\dfrac{5y}{8} + \dfrac{7}{8}\right) = 8 \bullet \left(\dfrac{-3}{8}\right)$ Multiplica ambos lados por __8__ para cancelar los denominadores.

$8\left(\dfrac{5y}{8}\right) + 8\left(\dfrac{7}{8}\right) = 8\left(\dfrac{-3}{8}\right)$ Usa la propiedad distributiva.

$5y + 7 = -3$ Simplifica.

$\dfrac{-7 \qquad -7}{5y = -10}$ Cancela la suma.

$\dfrac{5y}{5} = \dfrac{-10}{5}$ ¿Cómo despejas y?

__Divido ambos lados entre 5.__

$y = -2$ Halla el valor de y.

Guía interactiva de estudio

En las ecuaciones de varios pasos, combina los términos semejantes
o cancela las fracciones antes de despejar la variable.

Cómo resolver ecuaciones con variables en ambos lados
Resuelve.

A. $5a + 6 = 6a$

$\underline{-5a \quad -5a}$ Resta $\underline{5a}$ en ambos lados para dejar las

$6 = a$ variables en el mismo lado de la ecuación.

B. $7x - 9 = 6 + 2x$ ¿Cuál es el primer paso?
     <u>Dejar las variables en el mismo lado.</u>

$\underline{-2x \quad\quad -2x}$ Resta $2x$ en ambos lados.

$5x - 9 = 6$ Combina los términos semejantes.

$\underline{+9 \quad +9}$ Cancela -9.

$5x = 15$ Suma

$\dfrac{5x}{5} = \dfrac{15}{5}$ Despeja x.

$x = 3$ ¿Cuánto vale x?

C. $2a - 6 = 2a + 8$ ¿Cómo dejas $2a$ en el mismo lado?

$\underline{-2a \quad -2a}$ Resta $2a$ en ambos lados.

$-6 = 8$ ¿Es éste un enunciado verdadero? <u>no</u>

No hay solución para la ecuación porque ningún número que sustituya a
la variable a hace verdadera la ecuación.

**Cómo resolver ecuaciones de varios pasos con variables
en ambos lados**
Resuelve.
$x + 9 + 6x = 2 + x + 1$

$7x + 9 = x + 3$ ¿Cuál es el primer paso?
     <u>Combinar los términos semejantes.</u>

$\underline{-x \quad\quad -x}$ Deja x en un lado de la ecuación.

$6x + 9 = 3$ Resta.

$\underline{-9 \quad\quad -9}$ ¿Cuál es el siguiente paso? <u>Restar 9 en ambos lados.</u>

$6x = -6$

$\dfrac{6x}{6} = \dfrac{-6}{6}$ ¿Cómo despejas x? <u>Divido ambos lados entre 6.</u>

$x = -1$ Halla el valor de x.

Holt Pre-Álgebra

Guía interactiva de estudio

Para resolver desigualdades de varios pasos, combina los términos
semejantes o cancela las fracciones antes de despejar la variable.
Al multiplicar o dividir entre un número negativo, invierte el signo de
la desigualdad.

Cómo resolver desigualdades de dos pasos
Resuelve $4x - 5 > 11$.

$4x - 5 > 11$ ¿Qué debes sumar en ambos lados para cancelar -5? <u>5</u>

$\underline{+5 \quad +5}$

$4x > 16$ ¿Cómo despejas x? <u>Divido ambos lados entre 4.</u>

$\dfrac{4x}{4} > \dfrac{16}{4}$

$x > 4$ ¿Cómo se lee el resultado? <u>x es mayor que 4.</u>

¿Usarías un círculo abierto o cerrado para representar gráficamente la solución? <u>abierto</u>

¿Hacia dónde se extiende la gráfica, a la izquierda o a la derecha? <u>a la derecha</u>

Representa gráficamente la solución.

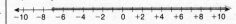

   $-6 \quad -4 \quad -2 \quad\; 0 \quad\; 2 \quad\; 4 \quad\; 6$

Cómo resolver desigualdades de varios pasos
Resuelve.
$6x - 3 - 8x \le 11$

$-2x - 3 \le 11$ ¿Cuál es el primer paso? <u>Combinar los términos
     semejantes.</u>

$\underline{+3 \quad +3}$ Cancela -3.

$-2x \le 14$ Divide ambos lados entre <u>-2</u>.

$\dfrac{-2x}{-2} \boxed{\ge} \dfrac{14}{-2}$ Razona: Al <u>multiplicar</u> o <u>dividir</u> por un número
     negativo, se <u>invierte</u> el signo de la desigualdad.

$x \ge -7$

La gráfica muestra un círculo <u>cerrado</u> y se extiende hacia la <u>derecha</u>.

Representa gráficamente la solución.

   $-10 \quad -8 \quad -6 \quad -4 \quad -2 \quad\; 0 \quad +2 \quad +4 \quad +6 \quad +8 \quad +10$

Holt Pre-Álgebra

Guía interactiva de estudio

Cómo hallar una variable con sumas o restas
Resuelve $P = a + b + c$ para hallar c.

$P = a + b + c$ Para cancelar a o b <u>réstalos</u> en ambos lados.

$\underline{-a - b \quad -a - b}$

$P - a - b = c$ Simplifica.

Cómo hallar una variable con divisiones o raíces cuadradas
Resuelve para hallar la variable indicada.

A. Resuelve $PV = nRT$ para hallar R.

$PV = nRT$ Para despejar R, <u>divide</u> ambos lados entre n y entre <u>T</u>.

$\dfrac{PV}{nT} = \dfrac{nRT}{nT}$

$\dfrac{PV}{nT} = R$ Halla el valor de R.

B. Resuelve $a^2 + b^2 = c^2$ para hallar b.

$a^2 + b^2 = c^2$ ¿Qué término debes mover primero? <u>a^2</u>

$\underline{-a^2 \quad -a^2}$

$b^2 = c^2 - a^2$ ¿Qué es lo contrario de elevar un número al cuadrado?
     <u>hallar la raíz cuadrada del mismo</u>

$\sqrt{b^2} = \sqrt{c^2 - a^2}$ Halla la raíz cuadrada de ambos lados.

$b = \sqrt{c^2 - a^2}$ ¿Cuánto vale b?

Cómo hallar el valor de y y representarlo gráficamente
Halla el valor de y y representa gráficamente $3x + 2y = 6$.
$3x + 2y = 6$

$\underline{-3x \quad -3x}$ ¿Qué debes hacer primero para hallar y?
     <u>Restar 3x en ambos lados.</u>

$2y = -3x + 6$

$\dfrac{2y}{2} = \dfrac{-3x}{2} + \dfrac{6}{2}$ ¿Cómo despejas y? <u>Divido entre 2.</u>

$y = \dfrac{-3}{2}x + 3$ Simplifica.

Haz una tabla de valores y traza
los puntos en la gráfica. Une los
puntos con una recta.

x	0	2	4
y	3	0	-3

Holt Pre-Álgebra

Guía interactiva de estudio

Un **sistema de ecuaciones** es un conjunto de dos o más ecuaciones.
La **solución de un sistema de ecuaciones** es un conjunto de valores
que satisface a ambas ecuaciones.

Vocabulario
solución de un
sistema de
ecuaciones
sistema de
ecuaciones

Cómo resolver sistemas de ecuaciones
Resuelve el sistema de ecuaciones.

A. $y = -x + 6$
      $y = x - 2$ ¿A qué son iguales ambas ecuaciones?
     <u>y</u>

$-x + 6 = x - 2$ Iguala ambas ecuaciones.

$\underline{+x \quad\quad +x}$ Deja x en un lado de la ecuación.

$6 = 2x - 2$ Combina los términos semejantes.

$8 = 2x$ Deja los términos constantes en un lado de la ecuación.

$\dfrac{8}{2} = \dfrac{2x}{2}$ ¿Cómo despejas x? <u>Divido entre 2.</u>

$4 = x$ Halla el valor de x.

$y = x - 2$ Elige una de las ecuaciones originales para hallar el valor de y.

$y = 4 - 2$ Para hallar el valor de y, <u>sustituye</u> x con 4 en la ecuación
     original.

$y = 2$

La solución del sistema es (<u>4</u> , <u>2</u>).

B. $2x - y = 4$
     $6x + 3y = 12$

Halla el valor de y en ambas ecuaciones.

$2x - y = 4$ $6x + 3y = 12$

$\underline{-y = -2x + 4}$ $3y = -6x + 12$

$y = 2x - 4$ $y = -2x + 4$

$-2x + 4 = 2x - 4$ Iguala ambas ecuaciones.

$4 = 4x - 4$ Deja x en un lado de la ecuación.

$8 = 4x$ Suma 4 en ambos lados.

$\dfrac{8}{4} = \dfrac{4x}{4}$ Divide ambos lados entre <u>4</u>.

$2 = x$ Halla el valor de x.

Sustituye x en cualquiera de las ecuaciones originales: $y = 2x - 4 = 2(2) - 4 = \underline{0}$

El conjunto solución es (<u>2</u> , <u>0</u>).

Holt Pre-Álgebra

133

Holt Pre-Álgebra

Guía interactiva de estudio
Cómo representar gráficamente las ecuaciones lineales

Una **ecuación lineal** es una ecuación cuyas soluciones forman una línea recta en un plano cartesiano. Si la ecuación es lineal, a un cambio constante en el valor de x le corresponde un cambio constante en el valor de y.

Vocabulario
ecuación lineal

Cómo representar gráficamente las ecuaciones
Representa gráficamente cada ecuación e indica si es lineal o no.

A. $y = 3x - 2$
Haz una tabla de valores.

x	$3x - 2$	y	(x, y)
-2	$3(-2) - 2$	-8	$(-2, -8)$
-1	$3(\underline{-1}) - 2$	-5	$(-1, \underline{-5})$
0	$3(\underline{0}) - 2$	-2	$(0, \underline{-2})$
1	$3(\underline{1}) - 2$	1	$(1, 1)$
2	$3(\underline{2}) - 2$	4	$(2, 4)$

Traza los pares ordenados de la tabla en la cuadrícula de coordenadas.

¿Forma la ecuación una línea recta? <u>sí</u>

¿Qué cambio hay entre cada valor de y? <u>+3</u>

¿Es igual el cambio entre cada valor de y? <u>sí</u>

La ecuación $y = 3x - 2$ es una ecuación <u>lineal</u>.

B. $y = x^2 + 1$
Haz una tabla de valores.

x	$x^2 + 1$	y	(x, y)
-2	$(-2)^2 + 1$	5	$(-2, 5)$
-1	$(-1)^2 + 1$	2	$(-1, \underline{2})$
0	$(0)^2 + 1$	1	$(0, \underline{1})$
1	$(1)^2 + 1$	2	$(1, 2)$
2	$(2)^2 + 1$	5	$(2, 5)$

Traza los pares ordenados de la tabla en la cuadrícula de coordenadas.

¿Forma la ecuación una línea recta? <u>no</u>

¿Es constante el cambio entre cada valor de y? <u>no</u>

La ecuación $y = x^2 + 1$ <u>no</u> es una ecuación lineal.

Holt Pre-Álgebra

Guía interactiva de estudio
Pendiente de una línea

Las ecuaciones lineales tienen una pendiente constante. La fórmula para determinar la pendiente entre dos puntos es $m = \dfrac{y_2 - y_1}{x_2 - x_1}$.

Pendiente positiva	Pendiente negativa	Pendiente cero	Pendiente indefinida

Cómo hallar la pendiente entre dos puntos
Halla la pendiente de la línea que pasa por los puntos (2, 4) y (8, 2).

En este caso, $x_1 = 2$, $y_1 = \underline{4}$, $x_2 = \underline{8}$ y $y_2 = 2$.

$m = \dfrac{2 - 4}{8 - 2} = \dfrac{-2}{6} = \dfrac{-1}{3}$ Sustituye con los valores en la fórmula.

La pendiente de la línea que pasa por los puntos (2, 4) y (8, 2) es $\dfrac{-1}{3}$.

Cómo hallar la pendiente a partir de una gráfica
Usa la gráfica de una línea para determinar su pendiente.

Elige dos puntos en la línea: (0, $\underline{-1}$) y ($\underline{5}$, 0).

En este caso, $x_1 = 0$, $y_1 = \underline{-1}$, $x_2 = \underline{5}$ y $y_2 = 0$.

$m = \dfrac{0 - (-1)}{5 - 0} = \dfrac{1}{\underline{5}}$ Sustituye con los valores.

La pendiente de la línea es $\dfrac{1}{5}$.

Las líneas paralelas tienen la misma pendiente. Las líneas perpendiculares tienen pendientes que son recíprocas negativas una de otra.

Cómo identificar líneas paralelas y perpendiculares según su pendiente
Indica si las líneas que pasan por los puntos dados son paralelas o perpendiculares.

línea 1: $(-4, 2)$ y $(4, 6)$; línea 2: $(-2, -4)$ y $(14, 4)$

pendiente de la línea 1: $m = \dfrac{6 - 2}{4 - (-4)} = \dfrac{4}{8} = \dfrac{1}{2}$

pendiente de la línea 2: $m = \dfrac{4 - (-4)}{14 - (-2)} = \dfrac{8}{16} = \dfrac{1}{2}$

Como ambas líneas tienen la <u>misma</u> pendiente, las líneas son <u>paralelas</u>.

Holt Pre-Álgebra

Guía interactiva de estudio
Cómo usar pendientes e intersecciones

La **intersección con el eje de las x** es el punto donde la gráfica cruza el eje de las x. La **intersección con el eje de las y** es el punto donde la gráfica cruza el eje de las y.

Vocabulario
intersección con el eje de las x
intersección con el eje de las y

Cómo hallar la intersección con el eje de las x y la intersección con el eje de las y para representar gráficamente ecuaciones lineales
Halla la intersección con el eje de las x y la intersección con el eje de las y de la línea $4x + 5y = 20$. Usa las intersecciones para representar gráficamente la ecuación.

Halla la intersección con el eje de las x. ($y = 0$)
$4x + 5y = 20$

$4x + 5(\underline{0}) = 20$ Sustituye y con 0.

$\dfrac{4}{4}x = 20$

$\dfrac{4x}{4} = \dfrac{20}{4}$ ¿Entre qué número divides ambos lados?

$x = \underline{5}$ Halla el valor de x. La intersección con el eje de las x es $\underline{5}$.

Halla la intersección con el eje de las y. ($x = 0$)
$4x + 5y = 20$

$4(\underline{0}) + 5y = 20$ Sustituye x con 0.

$\dfrac{5}{5}y = 20$

$\dfrac{5y}{5} = \dfrac{20}{5}$ ¿Entre qué número divides ambos lados?

$y = \underline{4}$ Halla el valor de y. La intersección con el eje de las y es $\underline{4}$.

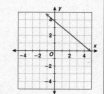

Para representar gráficamente la ecuación traza los puntos ($\underline{5}$, 0) y (0, $\underline{4}$).

Para una ecuación escrita en la forma de pendiente-intersección, $y = mx + b$, m representa la pendiente y b la intersección con el eje de las y.

Cómo usar la forma pendiente-intersección para hallar la pendiente y la intersección con el eje de las y
Escribe la ecuación $3y = 8x$ en la forma pendiente-intersección. Luego, halla la pendiente y la intersección con el eje de las y.

¿Cuál es la forma pendiente-intersección de una ecuación? $y = \underline{mx + b}$
$3y = 8x$

$\dfrac{3y}{3} = \dfrac{8x}{3}$ ¿Entre qué número divides ambos lados?

$y = \dfrac{8}{3}x$ ¿Cuál es la pendiente? $\dfrac{8}{3}$ ¿Cuál es la intersección con el eje de las y? $\underline{0}$

Holt Pre-Álgebra

Guía interactiva de estudio
Forma punto-pendiente

La forma punto-pendiente de una ecuación lineal es $y - y_1 = m(x - x_1)$, donde m es la pendiente y (x_1, y_1) es un punto en la línea.

Cómo usar la forma punto-pendiente para identificar información sobre una línea
Usa la forma punto-pendiente de la ecuación para identificar el punto por el que pasa la línea así como la pendiente.

A. $y - 6 = \dfrac{3}{4}(x - 12)$

$y - \underline{y_1} = \underline{m}(x - \underline{x_1})$ Escribe la forma punto-pendiente de la ecuación.

¿Cuál es el valor de m? $\dfrac{3}{\underline{4}}$ ¿Cuál es el valor de x_1? $\underline{12}$ ¿Cuál es el valor de y_1? $\underline{6}$

La línea tiene una pendiente de $\dfrac{3}{4}$ y pasa por el punto ($\underline{12, 6}$).

B. $y - 4 = 5(x + 8)$

$y - \underline{y_1} = \underline{m}(x - \underline{x_1})$ Escribe la forma punto-pendiente de la ecuación.

$y - 4 = 5(x - (\underline{-8}))$ Escribe una resta y el opuesto de 8 dentro del paréntesis.

¿Cuál es el valor de m? $\underline{5}$ ¿Cuál es el valor de x_1? $\underline{-8}$ ¿Cuál es el valor de y_1? $\underline{4}$

La línea tiene una pendiente de $\underline{5}$ y pasa por el punto ($\underline{-8, 4}$).

Cómo escribir la forma punto-pendiente de una ecuación
Usa la pendiente dada y el punto indicado para escribir la forma punto-pendiente de la ecuación.

A. la línea con pendiente -3 pasa por el punto (5, 2)

Escribe la forma punto-pendiente. $y - \underline{y_1} = \underline{m}(x - \underline{x_1})$

Sustituye con los valores conocidos. $y - \underline{2} = \underline{-3}(x - \underline{5})$

B. La línea con pendiente 8 pasa por el punto $(-2, 6)$

Escribe la forma punto-pendiente. $\underline{y} - \underline{y_1} = \underline{m}(\underline{x} - \underline{x_1})$

Sustituye con los valores conocidos. $y - \underline{6} = \underline{8}(x - (\underline{-2}))$

Simplifica la ecuación. $y - \underline{6} = \underline{8}(x + \underline{2})$

Holt Pre-Álgebra

Holt Pre-Álgebra

Variación directa

Si dos variables están relacionadas de manera proporcional mediante una razón constante de k, entonces tienen una **variación directa**.

$$y = kx \text{ o } k = \frac{y}{x}$$

Vocabulario
variación directa

Cómo determinar si un conjunto de datos tiene variación directa
Determina si los datos muestran una variación directa.

A.

Estampillas	1	2	3	4	5
Precio $	0.37	0.74	1.11	1.48	1.85

Haz una gráfica con los datos.

¿Es la gráfica una línea recta? __sí__

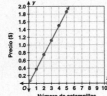

Compara las razones. $\frac{0.37}{1} ? \frac{0.74}{2} ? \frac{1.11}{3} ? \frac{1.48}{4} ? \frac{1.85}{5}$

Reduce cada razón: 0.37, 0.37, __0.37__ __0.37__ __0.37__

Como todas las razones son iguales, ésta es una __variación directa__

B.

x	3	4	5	6	7
y	8	7.5	6	6.5	5

Haz una gráfica con los datos.

¿Es la gráfica una línea recta? __no__

Compara las razones. $\frac{8}{3} ? \frac{7.5}{4} ? \frac{6}{5} ? \frac{6.5}{6} ? \frac{5}{7}$

Reduce cada razón: 2.7, 1.9, __1.2__ __1.1__ __0.7__

Como las razones __no__ son iguales, ésta no es una variación __directa__

Cómo hallar ecuaciones de variación directa
Halla la ecuación de una variación directa, si y varía en la misma medida que x, y sabemos que y es igual a 32 cuando x es igual a 8.

$y = kx$ Escribe la ecuación de variación directa.

$\underline{32} = k \cdot \underline{8}$ Sustituye x y y con los valores conocidos.

$\underline{4} = k$

$y = \underline{4} x$ Ahora sustituye 4 en la ecuación original.

89   **Holt Pre-Álgebra**

Cómo representar gráficamente las desigualdades en dos variables

La gráfica de una **desigualdad lineal** divide el plano cartesiano en tres partes: los puntos en un lado de la línea, los puntos sobre la **línea de límite** y los puntos en el otro lado de la línea. Cualquier par ordenado que haga verdadera la desigualdad es una solución. Para representar las desigualdades con los símbolos $>$ ó $<$ se usa una línea de límite punteada y cuando los símbolos son $\leq$ ó $\geq$ se usa una línea sólida.

Vocabulario
línea de límite
desigualdad lineal

Cómo representar gráficamente las desigualdades
Representa gráficamente cada desigualdad.

A. $y > x + 2$

¿Qué tipo de línea debes usar, punteada o sólida? __punteada__

¿Por qué? __El símbolo de la desigualdad es mayor que__

Representa gráficamente la ecuación $y = x + 2$.
Elige un punto en cualquier lado de la línea de límite.

¿Qué punto es el más fácil de usar? __(0, 0)__

Sustituye ese punto en la desigualdad.

$y > x + 2$

$\underline{0} > \underline{0} + 2$

$\underline{0} > \underline{2}$ ¿Es éste un enunciado verdadero? __no__

Sombrea el lado de la línea que no incluye el punto (0, 0).

B. $y \leq x - 3$

¿Qué tipo de línea debes usar, punteada o sólida? __sólida__

¿Por qué? __El símbolo de la desigualdad es menor o igual que.__

Representa gráficamente la ecuación $y = x - 3$.
Elige un punto en cualquier lado de la línea de límite.

¿Qué punto es el más fácil de usar? __(0, 0)__

Sustituye ese punto en la desigualdad.

$y \leq x - 3$

$\underline{0} \leq \underline{0} - 3$

$\underline{0} \leq \underline{-3}$ ¿Es éste un enunciado verdadero? __no__

Sombrea el lado de la línea que no incluye el punto (0, 0).

90   **Holt Pre-Álgebra**

Líneas del mejor ajuste

Puedes hallar la línea de mejor ajuste en los datos que muestran algún tipo de correlación. Hay cuatro pasos a seguir:

• Calcula las medias de las coordenadas x y y.

• Traza una línea que pase por las medias y que represente la línea del mejor ajuste.

• Estima las coordenadas de otro punto en la línea.

• Halla la ecuación de la línea.

Cómo hallar una línea del mejor ajuste
Traza los puntos y halla la línea del mejor ajuste.

x	3	5	6	2	4	9	7	8
y	3	7	6	2	3	7	4	8

Primero, traza los puntos en la cuadrícula de coordenadas.
Luego, calcula la media de las coordenadas x y y.

¿Cómo hallas la media?
__sumo los valores y divido el total entre el número de valores__

$x_m = \frac{3 + 5 + 6 + 2 + \underline{4} + \underline{9} + \underline{7} + \underline{8}}{8} = 5.5$

$y_m = \frac{3 + 7 + 6 + 2 + \underline{3} + \underline{7} + \underline{4} + \underline{8}}{8} = 5$

Traza una línea que pase por (x_m, y_m) y que sea representativa de los datos.
Estima y traza las coordenadas de otro punto en la línea.
Usa (8, 7).

Halla la pendiente de la línea localizada entre (x_m, y_m) y (8, 7).

$m = \frac{7 - 5}{8 - 5.5} = \frac{2}{2.5} = \underline{0.8}$

¿Cuál es la forma punto-pendiente de una ecuación? $y - y_1 = m(x - x_1)$

Elige cualquier punto y sustituye en la forma punto-pendiente.

$y - 7 = 0.8(x - 8)$ Sustituye $x_1 = 8$ y $y_1 = 7$.

$y - \underline{7} = 0.8x - \underline{6.4}$ Usa la propiedad distributiva.

$\underline{+7} \qquad \underline{+7}$ Despeja y.

$y = 0.8x + \underline{0.6}$

La ecuación de la línea del mejor ajuste es $y = 0.8x + 0.6$

91   **Holt Pre-Álgebra**

Sucesiones aritméticas

En una **sucesión aritmética**, la diferencia entre un **término** y el siguiente siempre es constante y se conoce como **diferencia común**.

Vocabulario
sucesión aritmética
diferencia común
término

Cómo identificar sucesiones aritméticas
Determina si cada sucesión es una sucesión aritmética. Si es así, halla la diferencia común.

A. 7, 13, 19, 25, 31, …

¿Cuál es la diferencia entre cada término?

6 __6__ __6__ __6__   ¿Es constante la diferencia? __sí__

Ésta __puede ser__ una sucesión aritmética con una diferencia común de __6__.

B. 1, 3, 4, 7, 11, 18, …

¿Cuál es la diferencia entre cada término?

2 __1__ __3__ __4__ __7__   ¿Es constante la diferencia? __no__

Ésta __no__ es una sucesión aritmética.

C. 87, 84, 81, 78, 75, …

¿Cuál es la diferencia entre cada término?

-3 __-3__ __-3__ __-3__   ¿Es constante la diferencia? __sí__

Ésta __puede ser__ una sucesión aritmética con una diferencia común de __-3__.

La fórmula para hallar el término n es $a_n = a_1 + (n - 1)d$, donde a_1 es el primer término, n es el número del término y d es la diferencia común.

Cómo hallar un determinado término de una sucesión aritmética
Halla el término dado en la sucesión aritmética.
12^{avo} término: $-10, -5, 0, 5, 10, …$

¿Cuál es la fórmula general? $a_n = \underline{a_1 + (n - 1)d}$

¿Cuál es el primer término? __-10__, es decir, a_1.

¿Cuál es la diferencia común? __5__, es decir, d.

¿Qué término buscas? __12__, es decir, n.

$a_{12} = -10 + (\underline{12} - 1)\,\underline{5}$ Sustituye con los valores conocidos en la fórmula.

$a_{12} = -10 + \underline{55}$ Simplifica.

$a_{12} = \underline{45}$ El 12^{avo} término de la sucesión es __45__.

92   **Holt Pre-Álgebra**

---

135   **Holt Pre-Álgebra**

LECCIÓN 12-2 *Sucesiones geométricas*

En una **sucesión geométrica**, la razón entre un término y el siguiente siempre es constante y se conoce como **razón común**.

Vocabulario
razón común
sucesión geométrica

Cómo identificar sucesiones geométricas
Determina si cada sucesión es una sucesión geométrica. Si es así, halla la razón común.

A. 7, −7, 7, −7, 7, …

$-1 \ \underline{-1} \ \underline{-1} \ \underline{-1}$ ¿Cuál es la razón entre cada término?
¿Son constantes las razones? $\underline{sí}$

Ésta <u>puede ser</u> una sucesión geométrica con una razón común de $\underline{-1}$.

B. 2, 4, 6, 8, 10, …

$\frac{4}{2} \ \frac{6}{4} \ \frac{8}{6} \ \frac{10}{8}$ ¿Cuál es la razón entre cada término?
¿Son constantes las razones? $\underline{no}$

Ésta <u>no es</u> una sucesión geométrica.

La fórmula para hallar el término n es $a_n = a_1 r^{n-1}$, donde a_1 es el primer término, n es el número del término y r es la razón común.

Cómo hallar un determinado término de una sucesión geométrica
Halla el término dado en la sucesión geométrica.
20^{avo} término: 800, 640, 512, 409.6, …

¿Cuál es la fórmula general? $a_n = a_1$

¿Cuál es el primer término? $\underline{800}$, es decir, a_1.

¿Cuál es la razón común? $\frac{640}{800} = 0.8$, es decir, r.

¿Qué término buscas? $\underline{20}$, es decir, n.

$a_n = a_1 r^{n-1}$ Sustituye con los valores conocidos en la fórmula.
$a_{20} = 800 \, (0.8)^{20-1}$ Simplifica.
$a_{20} = \underline{11.53}$

El vigésimo término de la sucesión es $\underline{11.53}$.

93

LECCIÓN 12-3 *Otras sucesiones*

Cómo usar las primeras y las segundas diferencias para hallar los términos de una sucesión
Usa las primeras y las segundas diferencias para hallar los tres términos siguientes de una sucesión. Completa cada tabla.

A. 3, 8, 15, 24, 35, 48, 63, …

Sucesión	3	8	15	24	35	48	63	??	??	??
Primeras diferencias		5	7	9	11	13	15	17	19	21
Segundas diferencias			2	2	2	2	2	2	2	2

Los tres términos siguientes son $\underline{80}$, $\underline{99}$ y $\underline{120}$.

B. 2, 8, 18, 32, 50, 72, …

Sucesión	2	8	18	32	50	72	??	??	??
Primeras diferencias		6	10	14	18	22	26	30	34
Segundas diferencias			4	4	4	4	4	4	4

Los tres términos siguientes son $\underline{98}$, $\underline{128}$ y $\underline{162}$.

Cómo hallar una regla, dados los términos de una sucesión
Da los tres términos siguientes de la sucesión.
Usa la regla más simple que puedas hallar.
1, 8, 27, 64, 125, …

¿Son los términos cuadrados perfectos? $\underline{no}$
¿Son los términos cubos perfectos? $\underline{sí}$
Los tres números siguientes son $\underline{216}$, $\underline{343}$ y $\underline{512}$.

Cómo hallar los términos de una sucesión a partir de una regla
Halla los cinco primeros términos de la sucesión definida mediante
la regla $a_n = \dfrac{4n}{n+2}$.

¿Qué significa n? $\underline{el\ número\ del\ término}$

$a_1 = \dfrac{4(1)}{1+2} = \dfrac{4}{3} \longrightarrow a_2 = \dfrac{4(2)}{2+2} = \dfrac{8}{4} = \underline{2} \longrightarrow a_3 = \dfrac{4(3)}{3+2} = \dfrac{12}{5}$

$a_4 = \dfrac{4(4)}{4+2} = \dfrac{16}{6} = \dfrac{8}{3} \longrightarrow a_5 = \dfrac{4(5)}{5+2} = \dfrac{20}{7}$

Los primeros cinco términos son $\dfrac{4}{3}, \ 2, \ \dfrac{12}{5}, \ \dfrac{8}{3}, \ \dfrac{20}{7}$.

94

LECCIÓN 12-4 *Funciones*

Una **función** es una regla que relaciona dos cantidades de forma que cada **valor de entrada** o valor x produzca sólo un **valor de salida** o valor y.

Vocabulario
función
valor de entrada
valor de salida

Cómo hallar diferentes representaciones de una función
Haz una tabla y una gráfica para $y = x^2 - 1$.
Completa la tabla y luego traza cada punto.

x	$x^2 - 1$	y	(x, y)
−2	$(-2)^2 - 1$	3	$(-2, 3)$
−1	$(-1)^2 - 1$	0	$(-1, 0)$
0	$(0)^2 - 1$	−1	$(0, -1)$
1	$(1)^2 - 1$	0	$(1, 0)$
2	$(2)^2 - 1$	3	$(2, 3)$

Une los puntos con una curva continua.
¿Cada valor de entrada produce un valor de salida? $\underline{sí}$

Cómo identificar funciones
Determina si cada relación representa una función.

A.

x	y
2	4
6	8
10	12
14	16

B.

¿Cada valor de entrada (x) produce un valor de salida (y)? $\underline{sí}$
¿Esta relación representa una función? $\underline{sí}$

¿Cuál es el valor de salida para un valor de entrada (y) de 1? $\underline{-1\ y\ 1}$
¿Esta relación representa una función? $\underline{no}$

Cómo evaluar funciones
Para la función $y = 3x + 5$, halla $f(3)$ y $f(-2)$.

$f(3) = 3(\underline{3}) + \underline{5} = \underline{14}$ Evalúa $f(x)$ para cada valor indicado.
$f(-2) = 3(\underline{-2}) + \underline{5} = \underline{-1}$

95

LECCIÓN 12-5 *Funciones lineales*

La gráfica de una **función lineal** es una línea recta.

Vocabulario
función lineal

Cómo escribir la ecuación de una función lineal a partir de una gráfica
Escribe la regla de la función lineal que muestra la gráfica.

¿Cuál es la forma general de una función lineal? $\underline{f(x) = mx + b}$

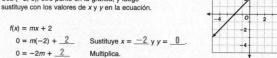

¿Cuál es la intersección con el eje de las y en la gráfica? $b = \underline{2}$
Sustituye b en la ecuación. $f(x) = mx + \underline{2}$
Usa $(-2, 0)$, otro punto en la gráfica, y sustituye con los valores de x y y en la ecuación.

$f(x) = mx + 2$
$0 = m(-2) + \underline{2}$ Sustituye $x = \underline{-2}$ y $y = \underline{0}$.
$0 = -2m + \underline{2}$ Multiplica.
$\dfrac{-2}{\underline{-2}} = \dfrac{-2m}{\underline{-2}}$ ¿Entre qué número divides ambos lados?
$\underline{1} = m$ Halla el valor de m.

Sustituye con los valores de m y b en la función.
La regla es $f(x) = \underline{1}x + \underline{2}$.

Cómo escribir la ecuación de una función lineal a partir de una tabla
Escribe la regla de la función lineal.

x	y
−2	6
−1	5
0	4
1	3

¿Cuál es el valor de x cuando la gráfica cruza el eje de las y? $\underline{0}$
¿Puedes hallar la intersección con el eje de las y, es decir, b, en la tabla? $\underline{sí}$
¿Cuál es la intersección con el eje de las y? $\underline{4}$
Sustituye con los valores de x y y del punto $(1, 3)$ en la ecuación.

$f(x) = mx + b$
$\underline{3} = \underline{1}m + \underline{4}$ Sustituye $x = \underline{1}$, $y = \underline{3}$ y $b = \underline{4}$.
$\underline{-1} = m$ Halla el valor de m.

La regla es $f(x) = \underline{-x + 4}$.

96

136

Holt Pre-Álgebra

Guía interactiva de estudio
Funciones exponenciales

Una **función exponencial** se escribe en la forma $f(x) = p \cdot a^x$. Si a es mayor que 1, se trata de una función de crecimiento exponencial. Si a es menor que 1, es una función de disminución exponencial.

Vocabulario
función exponencial

Cómo representar gráficamente una función exponencial
Haz una tabla por cada función exponencial y úsala para representar gráficamente la función.

A. $f(x) = \frac{1}{3} \cdot 3^x$
Completa la tabla.

Traza los puntos y únelos con una curva continua.

¿Es el valor de a mayor que 1?
__sí__

x	y
−2	$\frac{1}{3} \cdot 3^{-2} = \frac{1}{3} \cdot \frac{1}{9} = \frac{1}{27}$
−1	$\frac{1}{3} \cdot 3^{-1} = \frac{1}{3} \cdot \frac{1}{3} = \underline{\frac{1}{9}}$
0	$\frac{1}{3} \cdot 3^0 = \frac{1}{3} \cdot \underline{1} = \underline{\frac{1}{3}}$
1	$\frac{1}{3} \cdot 3^1 = \frac{1}{3} \cdot \underline{3} = \underline{1}$
2	$\frac{1}{3} \cdot 3^2 = \frac{1}{3} \cdot \underline{9} = \underline{3}$

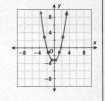

El valor de salida __crece__ a medida que crece el valor de entrada.
Ésta es una función de __crecimiento exponencial__.

B. $f(x) = 4 \cdot \left(\frac{1}{4}\right)^x$
Completa la tabla.

Traza los puntos y únelos con una curva continua.

¿Es el valor de a mayor que 1?
__no__

x	y
−2	$4 \cdot \left(\frac{1}{4}\right)^{-2} = 4 \cdot 16 = 64$
−1	$4 \cdot \left(\frac{1}{4}\right)^{-1} = 4 \cdot 4 = \underline{16}$
0	$4 \cdot \left(\frac{1}{4}\right)^0 = 4 \cdot \underline{1} = \underline{4}$
1	$4 \cdot \left(\frac{1}{4}\right)^1 = 4 \cdot \underline{\frac{1}{4}} = \underline{1}$
2	$4 \cdot \left(\frac{1}{4}\right)^2 = 4 \cdot \underline{\frac{1}{16}} = \underline{\frac{1}{4}}$

El valor de salida __disminuye__ a medida que crece el valor de entrada.
Ésta es una función de __disminución exponencial__.

Holt Pre-Álgebra

Guía interactiva de estudio
Funciones cuadráticas

Una **función cuadrática** se escribe de la forma: $f(x) = ax^2 + bx + c$.
La gráfica de una función cuadrática es una **parábola**.

Vocabulario
parábola
función cuadrática

Cómo representar gráficamente funciones cuadráticas de la forma $f(x) = ax^2 + bx + c$
Haz una tabla para la función cuadrática y úsala para hacer una gráfica.

$f(x) = x^2 + x - 3$

Traza los puntos y únelos con una curva continua.

x	$f(x) = x^2 + x - 3$		
−3	$f(x) = (-3)^2 + (-3) - 3$	$= 9 - 6$	$= 3$
−2	$f(x) = (\underline{-2})^2 + (-2) - 3$	$= 4 - \underline{5}$	$= \underline{-1}$
−1	$f(x) = (\underline{-1})^2 + (-1) - 3$	$= 1 - \underline{4}$	$= \underline{-3}$
0	$f(x) = (\underline{0})^2 + 0 - \underline{3}$	$= 0 - 3$	$= \underline{-3}$
1	$f(x) = (\underline{1})^2 + 1 - 3$	$= \underline{1} - \underline{2}$	$= \underline{-1}$
2	$f(x) = (\underline{2})^2 + \underline{2} - \underline{3}$	$= 4 - \underline{1}$	$= \underline{3}$
3	$f(x) = (3)^2 + 3 - 3$	$= 9 - 0$	$= 9$

Cómo representar gráficamente funciones cuadráticas de la forma $f(x) = a(x - r)(x - s)$
Haz una tabla para la función cuadrática y úsala para hacer una gráfica.

$f(x) = (x - 1)(x + 2)$

x	$f(x) = (x - 1)(x + 2)$		
−3	$f(x) = (-3 - 1)(-3 + 2)$	$= (-4)(-1)$	$= 4$
−2	$f(x) = (-2 - 1)(\underline{-2} + 2)$	$= (-3)(\underline{0})$	$= \underline{0}$
−1	$f(x) = (\underline{-1} - 1)(\underline{-1} + 2)$	$= (-2)(\underline{1})$	$= \underline{-2}$
0	$f(x) = (\underline{0} - 1)(\underline{0} + 2)$	$= (-1)(\underline{2})$	$= \underline{-2}$
1	$f(x) = (\underline{1} - 1)(\underline{1} + 2)$	$= (\underline{0})(\underline{3})$	$= \underline{0}$

¿Dónde cruza la parábola el eje de las x? __1__ y __−2__

¿Cómo se relacionan estos valores con la ecuación?

__Son opuestos a los números entre paréntesis en la ecuación.__

Holt Pre-Álgebra

Guía interactiva de estudio
Variación inversa

En una **variación inversa**, una variable aumenta su valor mientras la otra lo disminuye. La fórmula general de una variación inversa es:
$xy = k$ o $y = \frac{k}{x}$.

Vocabulario
variación inversa

Cómo identificar variaciones inversas
Indica si la relación muestra una variación inversa.

Un automóvil recorre 20 millas. La tabla muestra el tiempo que el automóvil necesita para recorrer 20 millas a una velocidad determinada.

Velocidad (mi/h)	5	20	40	50
Tiempo (h)	4	1	0.5	0.4

Halla cada producto:

$5(4) = \underline{20}$ $(20)(1) = \underline{20}$ $(40)(\underline{0.5}) = \underline{20}$ $(50)(\underline{0.4}) = \underline{20}$

¿Es el producto de xy igual para cada par de números? __sí__

¿Es la relación una variación inversa? __sí__

Escribe la variación inversa: $y = \frac{20}{x}$

Cómo representar gráficamente variaciones inversas
Representa gráficamente la función de variación inversa.
$f(x) = \frac{1}{2x}$
Haz una tabla de valores para la función. La gráfica aparecerá en los cuadrantes I y III.

x	$f(x) = \frac{1}{2x}$	x	$f(x) = \frac{1}{2x}$
−3	$f(x) = \frac{1}{2(-3)} = \frac{-1}{6}$	1	$f(x) = \frac{1}{2(1)} = \frac{1}{2}$
−2	$f(x) = \frac{1}{2(-2)} = \frac{-1}{4}$	2	$f(x) = \frac{1}{2(2)} = \frac{1}{4}$
−1	$f(x) = \frac{1}{2(-1)} = \frac{-1}{2}$	3	$f(x) = \frac{1}{2(3)} = \frac{1}{6}$
$-\frac{1}{2}$	$f(x) = \frac{1}{2\left(\frac{-1}{2}\right)} = -1$	4	$f(x) = \frac{1}{2(4)} = \frac{1}{8}$

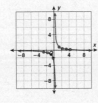

Holt Pre-Álgebra

Guía interactiva de estudio
Polinomios

Un **monomio** es un número o un producto de números y variables cuyos exponentes son números cabales. Un **polinomio** es un monomio o la suma o diferencia de polinomios. Los polinomios pueden clasificarse por el número de términos que contienen. Un monomio contiene 1 término, un **binomio** contiene 2 términos, un **trinomio** contiene 3 términos. Un polinomio también puede clasificarse por grado. El **grado de un polinomio** lo determina el exponente de mayor valor que hay en el polinomio.

Vocabulario
monomio
polinomio
binomio
trinomio
grado de un polinomio

Cómo identificar polinomios
Determina si cada expresión es un monomio.

A. $5x^{2.3}y$

¿Es esta expresión un producto de números y variables? __sí__

¿Son todos los exponentes números cabales? Explica tu respuesta.
__no, el exponente 2.3 no es un número cabal__

La expresión __no es__ un monomio.

B. $\frac{1}{3}x^4y^2$

¿Es esta expresión un producto de números y variables? __sí__
¿Son todos los exponentes números cabales? Explica tu respuesta.
__sí, ambos exponentes son números cabales__

La expresión __es__ un monomio.

Cómo clasificar polinomios por el número de términos
Clasifica cada expresión como un monomio, binomio, trinomio o indica si no es polinomio.

A. $20.42t - 15.73r$

¿Cuántos términos tiene la expresión? __2__

¿Son monomios todos sus términos? __sí__

La expresión es un __binomio__.

B. $10gh - 4g + 5h$

¿Cuántos términos tiene la expresión? __3__

¿Son monomios todos sus términos? Explica tu respuesta..
__sí, todos los exponentes son números cabales__

La expresión es un __trinomio__.

Holt Pre-Álgebra

Holt Pre-Álgebra

Para simplificar un polinomio puedes sumar o restar términos semejantes. Recuerda que los términos semejantes tienen las mismas variables elevadas a la misma potencia.

Cómo identificar términos semejantes

Identifica los términos semejantes en cada polinomio o indica si no hay ninguno.

A. $4b^2 - 2b + 2 + 3b^2 + 4b$

¿Qué términos contienen solamente b^2 como variable? $\underline{4b^2 \text{ y } 3b^2}$

¿Qué términos contienen solamente b como variable? $\underline{-2b \text{ y } 4b}$

¿Qué términos son semejantes, si los hay? $\underline{4b^2 \text{ y } 3b^2, -2b \text{ y } 4b}$

B. $6g^2 + 5gh - 2g$

¿Qué términos contienen solamente g^2 como variable? $\underline{6g^2}$

¿Qué términos contienen solamente gh como variable? $\underline{5gh}$

¿Qué términos contienen solamente g como variable? $\underline{2g}$

¿Qué términos son semejantes, si los hay? $\underline{\text{No hay términos semejantes}}$

C. $5x^2y^5 - 7y^3 - 2x^2y^5 + 3x^2y^5$

¿Qué términos contienen solamente x^2y^5 como variables? $\underline{5x^2y^5, -2x^2y^5, \text{ y } 3x^2y^5}$

¿Qué términos contienen solamente y^3 como variable? $\underline{-7y^3}$

¿Qué términos son semejantes, si los hay? $\underline{5x^2y^5, -2x^2y^5, \text{ y } 3x^2y^5}$

Cómo simplificar polinomios combinando términos semejantes

Simplifica.

A. $4y^4 - 2y^2 - 2y^4 + 3 + 5y^4 - y^2$

Escribe los términos en orden descendente. $\underline{4y^4 - 2y^4 + 5y^4 - 2y^2 - y^2 + 3}$

Identifica los términos que tienen las mismas variables elevadas a la misma potencia.

$\underline{4y^4, -2y^4, 5y^4; 2y^2, y^2}$

¿Son estos términos semejantes? $\underline{\text{sí}}$

¿Qué términos resultan de la combinación de estos términos? $\underline{7y^4 \text{ y } 3y^2}$

¿Cuál es el polinomio resultante luego de la combinación de todos los términos semejantes?

$\underline{7y^4 - 3y^2 + 3}$

101

Holt Pre-Álgebra

La Propiedad asociativa de la suma establece que para cualquier valor de a, b y c, $a + b + c = (a + b) + c = a + (b + c)$. Puedes usar esta propiedad para sumar polinomios.

Cómo sumar polinomios en forma horizontal

Suma.

A. $(4x^2 + 3x - 2) + (5x + 7)$

Usa la propiedad asociativa. $\underline{4x^2 + 3x - 2 + 5x + 7}$

Escribe en orden descendente. $\underline{4x^2 + 3x + 5x - 2 + 7}$

Combina términos semejantes. $\underline{4x^2 + 8x + 5}$

B. $(-4g^2h - 5gh - 2) + (11gh + 6g^2h + 2)$

Usa la propiedad asociativa. $\underline{-4g^2h - 5gh - 2 + 11gh + 6g^2h + 2}$

Escribe en orden descendente. $\underline{-4g^2h + 6g^2h - 5gh + 11gh - 2 + 2}$

Combina términos semejantes. $\underline{2g^2h + 6gh}$

C. $(3cd^2 - 2c) + (4c - 5) + (cd^2 + 3c - 2)$

Usa la propiedad asociativa. $\underline{3cd^2 - 2c + 4c - 5 + cd^2 + 3c - 2}$

Escribe en orden descendente. $\underline{3cd^2 + cd^2 + 4c - 2c + 3c - 5 - 2}$

Combina términos semejantes. $\underline{4cd^2 + 5c - 7}$

Cómo sumar polinomios en forma vertical

Suma.

A. $(2a^2 + 5a + 2) + (3a^2 + 4a + 1)$

Ordena los términos semejantes por columnas.

$$2a^2 + \underline{5a} + 2$$
$$\underline{3a^2 + 4a + \underline{1}}$$

La suma de los polinomios es $\underline{5a^2} + 9a + 3$

B. $(5x^2y + 3x - 2y) + (2x^2y - 2x + 4)$

Ordena los términos semejantes por columnas.

$$5x^2y + 3x - \underline{2y}$$
$$\underline{2x^2y - \underline{2x} + \underline{4}}$$

La suma de los polinomios es $\underline{7x^2y + x - 2y + 4}$

102

Holt Pre-Álgebra

La resta es lo contrario de la suma. Para restar un polinomio primero debes hallar su opuesto.

Cómo hallar el opuesto de un polinomio

Halla el opuesto de cada polinomio.

A. $3a^3b^5c$

El opuesto de a es $\underline{-a}$.

El opuesto de $(3a^3b^5c)$ es $-\,(\underline{3a^3b^5c}\,)$

El valor opuesto de $3a^3b^5c$ es $\underline{-3a^3b^5c}$

B. $8a^2 - 2a$

El valor opuesto de $(8a^2 - 2a)$ es $-(8a^2 \underline{-} 2a)$.

Elimina los paréntesis y distribuye el signo. $\underline{-8a^2 + 2a}$

C. $-4x^2y + 2x - 3$

El valor opuesto de $(-4x^2y + 2x - 3)$ es $-(\underline{-4x^2y + 2x - 3}\,)$

Elimina los paréntesis y distribuye el signo. $\underline{4x^2y - 2x + 3}$

Cómo restar polinomios en forma horizontal

Resta.

A. $(m^3 + 2m - 5m^2) - (4m - 3m^2 + 2)$

Suma el opuesto. $(m^3 + 2m - 5m^2) + (-4m \underline{+} 3m^2 \underline{-} 2)$

Usa la propiedad asociativa. $m^3 + 2m \underline{- 5m^2 - 4m} + 3m^2 - 2$

Combina términos semejantes. $\underline{m^3 - 2m^2 - 2m - 2}$

B. $(-a^2b + 3ab - 4) - (-4a^2b + 5 - 6ab)$

Suma el opuesto. $(-a^2b + 3ab - 4) + (\underline{4a^2b - 5 + 6ab}\,)$

Usa la propiedad asociativa. $\underline{-a^2b + 3ab - 4 + 4a^2b - 5 + 6ab}$

Combina términos semejantes. $\underline{3a^2b + 9ab - 9}$

103

Holt Pre-Álgebra

Recuerda que al multiplicar dos potencias con la misma base, se suman los exponentes. Para multiplicar dos monomios, multiplica primero los coeficientes y luego suma los exponentes de las variables que son iguales.

Cómo multiplicar monomios

Multiplica.

A. $(2a^3b^4)(3a^2b^3)$

¿Qué debes hacer para resolver $a^3 \cdot a^2$, sumar los exponentes o multiplicarlos? $\underline{\text{sumarlos}}$

$a^3 \cdot a^2 = \underline{a^5}$

$b^4 \cdot b^3 = \underline{b^7}$

$(2a^3b^4)(3a^2b^3) = \underline{6a^5b^7}$

B. $(5y^2z)(-2x^2y^4z)$

$y^2 \cdot y^4 = \underline{y^6}$

$z \cdot z = \underline{z^2}$

¿Aparecerá x^2 en el producto? $\underline{\text{sí}}$

$(5y^2z)(-2x^2y^4z) = \underline{-10x^2y^6z^2}$

Cómo multiplicar un polinomio por un monomio

Multiplica.

A. $2x(y + z)$

¿Cuáles son los términos entre paréntesis en $2x(y + z)$? $\underline{y \text{ y } z}$

¿Qué término debe multiplicarse por y y z? $\underline{2x}$

$2x \cdot y = \underline{2xy}$

$2x \cdot z = \underline{2xz}$

$2x(y + z) = \underline{2xy + 2xz}$

B. $-3x^3y^2(5x^2y + 4x^4y^3)$

¿Cuáles son los términos entre paréntesis? $\underline{5x^2y \text{ y } 4x^4y^3}$

¿Qué término debe multiplicarse por $5x^2y$ y $4x^4y^3$? $\underline{-3x^3y^2}$

¿Qué haces para hallar la solución, sumar los exponentes o multiplicarlos? $\underline{\text{sumarlos}}$

$-3x^3y^2 \cdot 5x^2y = \underline{-15x^5y^3}$

$-3x^3y^2 \cdot 4x^4y^3 = \underline{-12x^7y^5}$

$-3x^3y^2(5x^2y + 4x^4y^3) = \underline{-15x^5y^3 - 12x^7y^5}$

104

Holt Pre-Álgebra

138

Holt Pre-Álgebra

Guía interactiva de estudio
Cómo multiplicar binomios

Para multiplicar dos binomios puedes usar la propiedad distributiva. El producto puede escribirse con el método de **FOIL**: los primeros términos (**F**irst), los términos externos (**O**uter), los términos internos (**I**nner) y los últimos términos (**L**ast).

Vocabulario
FOIL

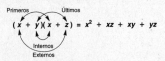

$$(x + y)(x + z) = x^2 + xz + xy + yz$$

Primeros — Últimos — Internos — Externos

Cómo multiplicar dos binomios
Multiplica.

A. $(a + 2)(5 - b)$

¿Cuáles son los "Primeros" términos, incluido el signo? $\underline{+a \text{ y } +5}$

¿Cuál es el resultado de la combinación de los "Primeros" términos? $\underline{5a}$

¿Cuales son los términos "Externos"? $\underline{+a \text{ y } -b}$

¿Cuál es el resultado de la combinación de los términos "Externos"? $\underline{-ab}$

¿Cuales son los términos "Internos" y el resultado de su combinación? $\underline{+2 \text{ y } +5; 10}$

¿Cuales son los "Últimos" términos y el resultado de su combinación? $\underline{+2 \text{ y } -b; -2b}$

$(a + 2)(5 - b) = 5a \underline{-ab + 10} - 2b$

B. $(x + 4)(x + 3)$

¿Cuáles son los "Primeros" términos, incluido el signo? $\underline{+x \text{ y } +x}$

¿Es el término 2x parte del razonamiento para hallar la solución? $\underline{no}$

¿Cuál es el resultado de la combinación de los "Primeros" términos? $\underline{x^2}$

¿Cuales son los términos "Externos" y el resultado de su combinación? $\underline{+x \text{ y } +3, 3x}$

¿Cuales son los términos "Internos" y el resultado de su combinación? $\underline{+4 \text{ y } +x; 4x}$

¿Cuales son los "Últimos" términos y el resultado de su combinación? $\underline{+4 \text{ y } +3; 12}$

Identifica términos semejantes y combínalos. $\underline{3x \text{ y } 4x; 7x}$

$(x + 4)(x + 3) = \underline{x^2 + 7x + 12}$

Holt Pre-Álgebra

Guía interactiva de estudio
Conjuntos

Un **conjunto** es un grupo de objetos llamados **elementos**. El símbolo $\in$ quiere decir "pertenece a". El enunciado $3\in$ {números impares} quiere decir "3 pertenece al conjunto de los números impares". El símbolo $\notin$ quiere decir "no pertenece a". El enunciado $2\notin$ {números impares} quiere decir "2 no pertenece al conjunto de los números impares". El conjunto A es un **subconjunto** del conjunto B si todos los elementos del conjunto A también pertenecen al B. El símbolo $\subset$ quiere decir "es subconjunto de". El símbolo $\not\subset$ quiere decir "no es subconjunto de". Un **conjunto finito** contiene un número determinado de elementos que se pueden contar. Un **conjunto infinito** contiene un número infinito o interminable de elementos.

Vocabulario
elemento
conjunto finito
conjunto infinito
conjunto
subconjunto

Cómo identificar los elementos de un conjunto
Escribe el símbolo correcto para hacer verdadero cada enunciado.

A. 27 ____ {números divisibles entre 3}

{números divisibles entre 3} quiere decir "el conjunto de $\underline{\text{todos los números}}$ que son $\underline{\text{divisibles entre 3}}$"

¿Es 27 divisible entre 3? $\underline{sí}$

Por tanto, ¿27 pertenece al conjunto de números divisibles entre 3? $\underline{sí}$

¿Qué símbolo significa "pertenece a"? $\underline{\in}$

Completa el enunciado: 27 $\underline{\in}$ {números divisibles entre 3}.

B. tiburones ____ {animales que viven en el desierto}

¿Los tiburones viven en el desierto? $\underline{no}$

Por tanto, ¿los tiburones pertenecen al conjunto de animales que viven en el desierto? $\underline{no}$

¿Qué símbolo significa "no pertenece a"? $\underline{\notin}$

Completa el enunciado: tiburones $\underline{\notin}$ {animales que viven en el desierto}.

C. $\triangle$ ____ {paralelogramos}

{paralelogramos} quiere decir "el conjunto de $\underline{\text{todos los paralelogramos}}$"

¿Es el triángulo un paralelogramo? $\underline{no}$

¿Qué símbolo significa "no pertenece a"? $\underline{\notin}$

Por tanto, $\triangle$ $\underline{\notin}$ {paralelogramos}.

Holt Pre-Álgebra

Guía interactiva de estudio
Intersección y unión

La **intersección** de los conjuntos A y B es el conjunto de todos los elementos que pertenecen tanto a A como a B. Para indicar la intersección de A y B, escribe $A \cap B$. El conjunto sin elementos se conoce como **conjunto vacío**, o *conjunto nulo*. El símbolo que representa al conjunto vacío es { } o $\varnothing$. La **unión** de los conjuntos Q y R es el conjunto de todos los elementos que pertenecen a Q o R. Para indicar la unión de Q y R, escribe $Q \cup R$.

Vocabulario
conjunto vacío
intersección
unión

Cómo hallar la intersección de dos conjuntos
Halla la intersección de los conjuntos.

A. $A = \{5, 10, 15, 20\}$ $B = \{10, 20, 30, 40\}$

¿Qué elementos partenecen tanto a A como a B? $\underline{10 \text{ y } 20}$

¿Es correcto decir que estos dos números representan la intersección de A y B? $\underline{sí}$

¿Qué símbolo representa la "intersección de" A y B? $\underline{\cap}$

Completa $A \cap B = \underline{10, 20}$.

B. $Q = \{$enteros negativos$\}$ $C = \{$números cabales$\}$

¿Puede un entero negativo ser un número cabal? $\underline{no}$

¿Puede un número cabal ser un entero negativo? $\underline{no}$

¿Existe algún número que sea un entero negativo y un número cabal a la vez? $\underline{no}$

Por tanto, $Q \cap C = \underline{\{ \} \text{ o } \varnothing}$.

C. $T = \{x \mid x > 20\}$ $V = \{x \mid x < 30\}$

$\{x \mid x > 20\}$ quiere decir "el conjunto de $\underline{\text{todos}}$ los números x $\underline{\text{tales que}}$ $x > 20$".

$\{x \mid x < 30\}$ quiere decir "el conjunto de $\underline{\text{todos}}$ los números x $\underline{\text{tales que}}$ $x < 30$".

Identifica los números cabales de $T \cap V$. $\underline{21, 22, 23, 24, 25, 26, 27, 28, 29}$

Completa: $T \cap V = \{x \mid \underline{20 < x < 30}\}$

Cómo hallar la unión de dos conjuntos
Halla la unión de los conjuntos.

$Z = \{0, -2, -4, -6\}$ $Y = \{0, 2, 4, 6\}$

La unión de los conjuntos Z y Y se define como $\underline{\text{el conjunto de todos los elementos que pertenecen a } Z \text{ o a } Y}$.

¿Hay elementos que pertenecen a ambos conjuntos? $\underline{sí, 0}$

¿Cuántas veces representarías un elemento que aparece en ambos conjuntos? $\underline{una vez}$

La unión de Z y Y puede expresarse con símbolos como: $Z \cup Y = \underline{\{-6, -4, -2, 0, 2, 4, 6\}}$

Holt Pre-Álgebra

Guía interactiva de estudio
Diagramas de Venn

Un **diagrama de Venn** es un esquema que muestra las relaciones que existen entre conjuntos. En un diagram de Venn se usan círculos para representar los conjuntos. Cuando dos círculos se sobreponen, la región compartida por ambos representa la intersección de los dos conjuntos.

Cómo dibujar diagramas de Venn
Dibuja un diagrama de Venn que muestre la relación entre los conjuntos.

Factores de 20: {1, 2, 5, 10, 20}

Factores de 24: {1, 2, 4, 6, 8, 12, 24}

¿Qué enteros pertenecen tanto a {1, 2, 5, 10, 20} como a {1, 2, 4, 6, 8, 12}? $\underline{1, 2}$

La intersección de los conjuntos es $\underline{\{1, 2\}}$.

Completa el diagrama de Venn.

Factores de 20   Factores de 24
5, 10, 20 | 1, 2 | 4, 6, 12, 8

Cómo analizar diagramas de Venn
Usa el diagrama de Venn para identificar intersecciones, uniones y subconjuntos.

A.

¿Qué elementos pertenecen tanto a P como a Q? $\underline{4, 7, 11}$

¿Qué elementos pertenecen a P o a Q? $\underline{1, 3, 4, 6, 7, 8, 9, 10, 11}$

Intersección: $P \cap Q = \underline{\{4, 7, 11\}}$

Unión: $P \cup Q = \underline{\{1, 3, 4, 6, 7, 8, 9, 10, 11\}}$

Subconjuntos: $\underline{ninguno}$

P: 9, 1, 6, 8   Q: 4, 7, 11, 3, 10

B.

¿Todos los elementos de B también pertenecen a A? $\underline{sí}$

Intersección: $A \cap B = \underline{B}$

¿Tienen A y C elementos en común? $\underline{no}$

Intersección: $A \cap C = \underline{\varnothing}$

¿Tienen B y C elementos en común? $\underline{no}$

Intersección: $B \cap C = \underline{\varnothing}$

¿Está B completamente dentro de A? $\underline{sí}$

Unión: $A \cup B = \underline{A}$

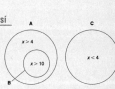

A: $x > 4$, B: $x > 10$ C: $x < 4$

Holt Pre-Álgebra

Holt Pre-Álgebra

Un **enunciado compuesto** se forma por la unión de dos o más enunciados simples. Si *P* y *Q* representan enunciados simples, entonces el enunciado compuesto *P* y *Q* es una **conjunción.** El **valor de verdad** de un enunciado sólo puede ser *verdadero* o *falso.* Una **tabla de verdad** es una manera de mostrar el valor de verdad de un enunciado compuesto según el orden de los valores de verdad de los enunciados simples que lo forman. Un enunciado compuesto de la forma *P* o *Q* es una **disyunción.**

Vocabulario
enunciado compuesto
conjunción
disyunción
tabla de verdad
valor de verdad

Cómo hacer una tabla de verdad para una conjunción

Haz una tabla de verdad para la conjunción *P* y *Q*, donde *P* sea "una persona electa para el senado de Estados Unidos debe tener no menos de 30 años de edad" y *Q* sea "una persona electa para el senado de Estados Unidos debe haber sido ciudadano estadounidense al menos los últimos 9 años". Completa la columna de la izquierda con cualquier número del rango correcto.

La conjunción *P* y *Q* es "una persona electa para el senado de Estados Unidos debe tener no menos de 30 años de edad y haber sido ciudadano estadounidense al menos los últimos 9 años".

Ejemplo	P	Q	P y Q
Devon tiene __30 ó más__ años de edad y ha sido ciudadano estadounidense por __9 ó más__ años.	Verdadero	Verdadero	**Verdadero**
Devon tiene __30 ó más__ años de edad y ha sido ciudadano estadounidense por __menos de 9__ años.	Verdadero	Falso	**Falso**
Devon tiene __menos de 30__ años de edad y ha sido ciudadano estadounidense por __9 ó más__ años.	Falso	Verdadero	**Falso**
Devon tiene __menos de 30__ años de edad y ha sido ciudadano estadounidense por __menos de 9__ años.	Falso	Falso	**Falso**

Holt Pre-Álgebra

Un **enunciado condicional**, o **enunciado si, entonces**, es un enunciado compuesto de la forma "Si *P*, entonces *Q*". El enunciado *P* es la **hipótesis**, y el enunciado *Q* es la **conclusión.**

Si el enunciado condicional es verdadero y puede usarse en una situación donde la hipótesis sea verdadera, puedes usar el **razonamiento deductivo** para indicar que la conclusión es verdadera. Puede haber más de un enunciado condicional en un argumento deductivo. Los enunciados son las **premisas** del argumento y todos deben ser verdaderos para que la conclusión sea verdadera.

Vocabulario
conclusión
enunciado condicional
razonamiento deductivo
hipótesis
enunciado si, entonces
premisa

Cómo identificar hipótesis y conclusiones

Identifica la hipótesis y la conclusión en cada enunciado condicional.

A. Si él termina su trabajo antes de las 3:00 pm, entonces puede ir de pesca.

¿Qué enunciado va después de la palabra *si*?
termina su trabajo antes de las 3:00 pm

¿Qué enunciado va después de la palabra *entonces*?
puede ir de pesca

B. Si un animal tiene pelo, entonces es un mamífero.

¿Es éste un enunciado condicional? **sí**

¿Cuál es la hipótesis? **Un animal tiene pelo**

¿Qué enunciado va después de la palabra *entonces*? **Es un mamífero**

¿Cuál es la conclusión? **Es un mamífero.**

Cómo usar el razonamiento deductivo

Haz una conclusión, si es posible, a partir del siguiente argumento deductivo.

Si la suma de los ángulos internos de un polígono es igual a 180°, el polígono es un triángulo.

¿Cuál es la hipótesis?
La suma de los ángulos internos de un polígono es igual a 180°.

¿Cuál es la conclusión? **El polígono es un triángulo**

Los ángulos internos de la figura *ABC* tienen las siguientes medidas: 90°, 60° y 30°. La suma de los ángulos es **180°**

Conclusión: La figura *ABC* es un **triángulo**

Holt Pre-Álgebra

LECCIÓN
14-6 *Redes y circuitos de Euler*
Guía interactiva de estudio

Según una rama de las matemáticas llamada *teoría de las gráficas,* una **gráfica** es una **red** de puntos unidos por arcos o segmentos de recta. Los puntos se conocen como **vértices.** Los segmentos o arcos que los unen se llaman **aristas.** Una **trayectoria** es la dirección que siguen las rectas de un vértice a otro. Una gráfica es una **gráfica cerrada** si hay una trayectoria entre todos los vértices. El **grado** de un vértice es el número de aristas que tocan el vértice. Un **circuito** es una trayectoria que inicia y termina en un mismo vértice sin pasar por las aristas más de una vez. El **circuito de Euler** pasa por todas las aristas de una gráfica cerrada.

Vocabulario
circuito
gráfica cerrada
grado (de un vértice)
arista
circuito de Euler
gráfica
red
trayectoria
vértice

Cómo identificar el grado de un vértice y cómo determinar si una gráfica es cerrada

Halla el grado de cada vértice y determina si la gráfica es cerrada.

Vértice	Grado
G	2
H	3
J	2
K	4
M	1
N	0

¿Cuántas aristas se unen en el vértice *G*. **2**

¿Cuál es el grado del vértice *G*? **2**

¿Cuál es el grado del vértice *N*? **0**

¿Hay una trayectoria entre todos los vértices? **no**

¿Qué vértice no se localiza en la trayectoria? **N**

¿Es ésta una gráfica cerrada? **no**

Completa la tabla con el grado de cada vértice.

Holt Pre-Álgebra

Un **circuito de Hamilton** es una trayectoria que inicia y termina en el mismo vértice y pasa por todos los vértices una sola vez. En un circuito de Hamilton la trayectoria no necesita recorrer cada arista.

Vocabulario
circuito de Hamilton

Cómo hallar circuitos de Hamilton

Halla un circuito de Hamilton en la gráfica después de responder las preguntas.

¿Tienes que elegir un vértice *inicial*? **sí**

¿Tienes que pasar una vez por cada uno de los vértices? **sí**

¿Puedes recorrer una trayectoria más de una vez? **no**

¿Tienes que recorrer cada una de las aristas? **no**

¿Es aceptable recorrer todas las aristas? **sí**

¿Tienes que terminar la trayectoria en el vértice *inicial*? **sí**

¿Puede haber más de un circuito? **sí**   **Circuito posible *ACBDEA***

Aplicación a la resolución de problemas

Usa la información de la gráfica para responder las preguntas.

Si quisieras hallar el circuito más largo a partir del vértice *A*, ¿qué arista tendrías que incluir? **DC**

¿Cuál es el circuito más largo? **ADCBA** o **ABCDA**

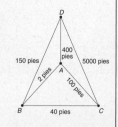

Holt Pre-Álgebra

Holt Pre-Álgebra